D1490926

L'Essentiel
de la grammaire française

THE SCRIBNER FRENCH SERIES
General Editor, EDWARD D. SULLIVAN
Princeton University

L'Essentiel de la grammaire française

LÉON-FRANÇOIS HOFFMANN

PRINCETON UNIVERSITY

Charles Scribner's Sons

NEW YORK

Library of Congress Catalog Card Number 64-14662

Je voudrais remercier ici mes collègues du Département de Langues Romanes de l'Université de Princeton, qui ont bien voulu, dans leurs classes de langue, employer "L'Essentiel de la grammaire" sous forme de fascicules polycopiés. Leurs conseils m'ont été précieux; ils m'ont suggéré bon nombre d'améliorations, tant pour la forme que pour le fond.

Ma reconnaissance va en particulier aux professeurs Edward D. Sullivan et Robert J. Ellrich. Ils m'ont constamment guidé dans la rédaction du manuel et ont accepté d'en relire le manuscrit. Sans leurs encouragements et leur assistance, mon travail n'aurait pu être mené à bien.

L.-F. H.

TABLE DES MATIÈRES

NEUVIÈME LEÇON
Partie A

Partie B

DIXIÈME LEÇON
Partie A

Partie B

ONZIÈME LEÇON
Partie A

Partie B

DOUZIÈME LEÇON
Partie A

Partie B

PRÉFACE

Le présent manuel est destiné aux élèves qui sont au stade intermédiaire de leur étude du français. Il est appelé à consolider leurs connaissances de grammaire et à les amplifier.

Les bons manuels élémentaires à l'usage des *secondary schools* et des *colleges* ne manquent pas. Les règles de grammaire y sont formulées en anglais; il ne saurait en être autrement tant que le débutant n'est pas à même de lire et de comprendre le français. De nos jours, toutefois, un grand nombre de professeurs ne permettent plus l'usage de l'anglais. Ils estiment avec raison qu'il faut habituer l'élève à étudier le français *en français*. D'où l'intérêt d'une grammaire rédigée en français. Encore faut-il qu'une telle grammaire soit conçue en fonction de l'étudiant auquel elle s'adresse. Les manuels employés dans les écoles de France ne conviendraient guère à des jeunes de langue anglaise, qui auraient inévitablement besoin d'explications supplémentaires. Par ailleurs, bien des subtilités, indispensables au lycéen, seraient superflues au niveau intermédiaire pour le jeune étranger.

Si toutes les explications grammaticales sont ici en français, je n'ai pas hésité à donner la traduction anglaise de certains mots ou de certaines expressions quand elles pouvaient éviter à l'étudiant des difficultés inutiles.

* * *

L'Essentiel de la grammaire française est divisé en quatorze leçons, correspondant au nombre moyen de semaines dans un semestre. Comme chaque leçon est à son tour divisée en deux parties, A et B, le manuel peut être utilisé dans un cours intensif d'une demi-année comme dans un cours d'une année entière.

Un fascicule de travaux pratiques, contenant un nombre considérable d'exercices qui correspondent aux leçons de *L'Essentiel de la grammaire française* accompagne le manuel. Ces exercices, eux-mêmes divisés en Partie A et Partie B, s'adaptent au rythme du cours. Le fascicule se compose de feuilles détachables. Le professeur peut ainsi se faire remettre certains exercices, les noter, puis les rendre aux étudiants.

En plus du manuel et du fascicule, *L'Essentiel de la grammaire française* comporte des feuilles de correction indiquant, pour chaque exercice, les réponses exigées. Ces feuilles seront envoyées par l'éditeur *au professeur exclusivement*, sur sa demande. S'il le désire, il les distribuera chaque fois à ses élèves, pour leur permettre de corriger eux-mêmes leur travail. Le temps qui serait nécessaire à indiquer en classe quelle est la bonne réponse à chaque question pourra ainsi être économisé.

Chaque leçon de *L'Essentiel de la grammaire française* se compose de plusieurs rubriques. Elles sont au nombre de 52 pour tout le manuel. Dans chaque rubrique, l'explication peut être suivie de *Notes* fournissant des indications supplémentaires, et de *Difficultés de traduction* qui signalent les principales différences d'usage entre l'anglais et le français.

Les longues explications théoriques sont évitées dans la mesure du possible. L'expérience a montré que quelques exemples bien choisis, annotés si nécessaire, sont bien plus utiles pour faire comprendre à l'étudiant le principe de telle ou telle règle de grammaire, ainsi que ses applications pratiques.

Ce livre étant destiné à des étudiants étrangers, les exemples et les exercices sont rédigés dans une langue qui se veut simple sans être primaire. Je n'ai pas hésité à employer des mots qui n'appartiennent ni au "français élémentaire" ni même au "français fondamental", surtout lorsque leur ressemblance au mot anglais correspondant les rend faciles à comprendre. En même temps qu'il emploie *L'Essentiel de la grammaire française*, l'étudiant travaille certainement sur des textes français, pièces, romans, poésies ou morceaux choisis. Pour les comprendre parfaitement, il lui faudra un dictionnaire—aussi aurait-ce été faire double emploi que d'inclure un lexique à la fin du manuel, comme on le fait habituellement. S'il arrive à l'étudiant de rencontrer un mot inconnu, il lui sera tout aussi facile de consulter son dictionnaire. D'ailleurs, le mot qui risque d'être nouveau pour lui est utilisé à plusieurs reprises dans la même série d'exemples ou d'exercices, afin d'en faciliter l'assimilation.

* * *

Il va sans dire qu'un problème de sélection s'est posé pour chaque rubrique. Une fois exposés les principes fondamentaux, jusqu'où convient-il de pousser l'étude des détails, des cas particuliers, des inévitables exceptions que toute règle comporte? Une grammaire est incomplète par définition. A plus forte raison un manuel scolaire, surtout pour étudiants étrangers. Bien des subtilités que l'on trouve dans *Le Bon usage* de Grevisse ou dans la *Grammaire Larousse du XX⁴ siècle* (pour ne citer que ces deux excellents ouvrages de référence) n'ont pas leur place dans un manuel tel que celui-ci.

Un effort a été fait pour ne rien omettre d'indispensable à l'élève au niveau intermédiaire. A ce stade, il ne m'a toutefois pas semblé nécessaire d'entrer, par exemple, dans le détail de l'imparfait du subjonctif, de l'accord du participe, du pluriel des noms composés, domaines dans lesquels il arrive même à un Français moyen d'hésiter. Certains de mes collègues regretteront telle omission; telle remarque pourra leur sembler superflue. J'espère cependant qu'aucun des principes fondamentaux n'a été négligé dans *L'Essentiel de la grammaire française* et qu'ils y ont été exposés avec suffisamment de clarté et de précision.

L.-F. H.

L'Essentiel
de la grammaire française

PREMIÈRE LEÇON

PARTIE A

1. Le présent de l'indicatif

A. Le présent indique que l'action se produit au moment où l'on parle:

> Il **pleut**.
> J'**écris** une lettre.
> Ils **construisent** une maison.
> Ma sœur **étudie** le latin.

B. Pour situer plus rigoureusement l'action dans le présent, on peut employer la locution **être en train de** + **infinitif**:

> Il **est en train de** pleuvoir.
> Je **suis en train d'**écrire une lettre.
> Ils **sont en train de** construire une maison.[1]

C. Le présent s'emploie pour indiquer une action habituelle, qui reste vraie au moment où l'on parle:

> Le soir, avant de me coucher, je **fais** une promenade.
> Les Américains **boivent** du lait avec leurs repas.

D. Le présent doit être employé pour indiquer une action commencée dans le passé, mais qui continue dans le présent:[2]

> Ma sœur **étudie** le latin depuis trois ans.
> Ils **attendent** depuis hier.
> Il ne **pleut** pas depuis mercredi.
> Il **est** en France depuis trois jours.

1

Pour le quatrième exemple ci-dessus on peut aussi dire:

> Il y a **trois** jours qu'il **est** en France.
> Cela **fait** trois jours qu'il **est** en France.
> **Voici** trois jours qu'il **est** en France.
> **Voilà** trois jours qu'il **est** en France.

La forme interrogative de ces expressions idiomatiques est:

> Depuis quand **est**-il en France?
> Combien de temps y **a-t-il** qu'il **est** en France?
> Cela **fait** combien de temps qu'il **est** en France?
> Depuis combien de temps **est**-il en France?

E. Le présent peut être employé au lieu du passé:

1. Familièrement, lorsqu'il s'agit d'un passé récent, surtout avec les verbes tels que: **arriver, sortir, revenir, partir,** etc., qui indiquent le déplacement:

> J'**arrive** il y a une minute.
> Marie est fatiguée: elle **rentre** de son travail.
> Pierre **sort** à l'instant.
> J'**arrive** de Paris.

2. Pour donner plus de vigueur à l'expression d'événements importants ou dramatiques qui se sont produits dans le passé:

> La bataille était commencée; les troupes reculaient. Tout d'un coup, on **entend** le bruit du canon; le renfort **arrive,** les soldats **reprennent** courage, l'ennemi **est** battu. Ce fut une grande victoire: elle sauva le pays.

F. Le présent peut être employé au lieu du futur, pour exprimer familièrement un projet ou une certitude:

> Nous **allons** en France l'année prochaine.
> Demain, il **dîne** chez des amis.
> J'**arrive** dans une minute.
> Le train **part** dans une heure.

G. Après **si** conditionnel (traduit en anglais par *if* et non par *whether*), le présent remplace le futur:

Je lui dirai bonjour **si** je le **rencontre**.
J'irai au cinéma **si** l'on **joue** un bon film.
Si vous **allez** en ville, je viendrai avec vous.

NOTES

[1] La locution **être en train de** + **infinitif** s'emploie aussi dans les autres temps du verbe pour donner plus de vigueur à l'expression et pour situer l'action plus strictement dans le moment indiqué:

J'étais en train d'écrire quand vous avez téléphoné.
Je **serai en train d'**écrire quand vous téléphonerez.
Si vous n'aviez pas téléphoné, **j'aurais été en train d'**écrire.

[2] Pour indiquer qu'une action ne s'est pas produite depuis un moment du passé jusqu'au présent, on emploie souvent le passé composé:

Ma sœur **n'a pas étudié** le latin depuis sa maladie.
Il **n'a pas plu** en France depuis le mois dernier.
Cela fait trois semaines qu'il **ne m'a pas téléphoné**.

DIFFICULTÉS DE TRADUCTION

1. Pour exprimer une action qui a commencé dans le passé et qui continue dans le présent, l'anglais emploie soit *for*, soit *since*. La français emploie **depuis** et **depuis que**:

He has been working for a week.
Il travaille **depuis** une semaine.
He has been working since noon.
Il travaille **depuis** midi.
He has been working since his father died.
Il travaille **depuis que** son père est mort.

2. Pour exprimer la durée d'une action qui a été terminée dans le passé, on emploie **pendant** et un temps passé:

He worked for a week.
Il a travaillé **pendant** une semaine.

3

2. L'impératif

A. L'impératif exprime un ordre, un souhait ou une prière :

Arrête-toi! Sortez! Va-t-en!	(ordre)
Amusez-vous bien!	(souhait)
Pardonnez-moi!	(prière)

B. A la première personne du pluriel et à la deuxième personne (singulier et pluriel), l'impératif prend les formes du présent de l'indicatif. Au singulier, on omet le **s** après les voyelles **e** et **a** :

INDICATIF	IMPÉRATIF
tu donnes	donne!
nous donnons	donnons!
vous donnez	donnez!
tu vas	va!
nous allons	allons!
vous allez	allez!
tu tiens	tiens!
nous tenons	tenons!
vous tenez	tenez!

Toutefois, même après **e** et **a**, le **s** est conservé devant les pronoms **y** et **en** :

> **Va** chercher du lait, et **vas**-y tout de suite.
> **Ouvre** des boîtes de conserve, et **ouvres**-en plusieurs.

C. Les verbes **avoir** et **être** à l'impératif prennent les formes du présent du subjonctif; les verbes **savoir** et **vouloir** ont une forme spéciale :

> Vous êtes fort, **soyez** courageux aussi. **Sois** honnête.
> N'**ayez** pas peur, je viendrai. N'**aie** (sans s) pas peur.
> **Sachez** ce que vous voulez. **Sache** obéir aux ordres.
> **Veuillez** ne pas faire de bruit.[1]

D. A la première personne du singulier et à la troisième personne (singulier et pluriel), l'impératif prend les formes correspondantes du présent du subjonctif :

Que je **puisse** seulement vous revoir un jour!
Qu'il **parte**! Qu'ils y **aillent**! Qu'elle **sorte**!

E. On emploie souvent le futur comme impératif. (Voir 3-B, p. 6.)

F. On emploie souvent l'infinitif comme impératif pour donner, dans la langue écrite, une indication ou un avis impersonnels:

> Ne pas **parler** au conducteur.
> **Voir** Victor Hugo, *Les Misérables*, p. 347.
> **Ralentir.**

NOTES

[1] L'impératif de **vouloir** à la deuxième personne du pluriel est souvent employé dans la correspondance et, tout particulièrement, dans les formules de politesse qui terminent les lettres:

> **Veuillez** nous indiquer, Monsieur, l'adresse de votre avocat.
> **Veuillez** trouver ci-joint un chèque de 400 francs.
> **Veuillez** me croire, mon cher Jean, votre fidèle ami.

L'impératif de **vouloir** à la deuxième personne du singulier, **veuille**, est extrêmement rare.

DIFFICULTÉS DE TRADUCTION

1. L'impératif en anglais se forme souvent avec *let* + **pronom** + **infinitif**. Le français a une forme spéciale:

Let us go!	**Allons! (Partons!)**
Let him learn French!	Qu'il **apprenne** le français!

Quand *let* + **pronom** + **infinitif** indique la permission et non pas l'ordre, le français emploie le verbe **laisser** ou le verbe **permettre**:

Allow us to / *Let us* } *go, please.* — **Laissez-nous** / **Permettez-nous de** } partir, s'il vous plaît.

Allow him to / *Let him* } *learn French since he wants to.*

Laissez-lui / **Permettez-lui d'** } apprendre le français, puisqu'il le désire.

3. Le futur simple

A. Le futur simple marque une action à venir:

> **J'écrirai** une lettre demain matin.
> Ils **construiront** une maison.
> Ma sœur **étudiera** le latin l'année prochaine.
> Il ne **pleuvra** pas avant l'automne.

B. Le futur simple peut remplacer l'impératif, pour donner un ordre (formel ou poli) ou un conseil:

> Pour avoir une bonne note, vous **travaillerez** beaucoup et vous **ferez** attention en classe.   (conseil)
> Tu **iras** acheter du pain, et tu **rentreras** tout de suite après.   (ordre)
> Tu ne **tueras** point.   (ordre formel)

C. Le futur peut indiquer la possibilité ou la probabilité, exprimant d'habitude une hypothèse de la part de celui qui parle:

> Il ne répond pas au téléphone; c'est qu'il **dormira**.
> Cette maison si luxueuse **appartiendra** à un millionnaire.

D. Après **si** conditionnel (*if*), le présent remplace le futur (voir 1-G, p. 2):

> Je lui dirai bonjour **si** (*if*) elle **vient.**

> Mais: Je ne sais pas **si** (*whether*) elle **viendra.**

E. **Aller** au présent de l'indicatif + **infinitif** peut exprimer un futur très proche:

> Il **va pleuvoir** d'un moment à l'autre.
> Tout à l'heure, je **vais écrire** une lettre.
> Ils **vont construire** une maison.
> Ma sœur **va étudier** le latin.

F. **Devoir** au présent de l'indicatif + **infinitif** peut exprimer un futur probable, sans pour cela exprimer l'obligation ou la certitude:

> Il **doit partir** pour la France un jour ou l'autre.
> Il **doit arriver** un de ces jours.

Etudier les exemples suivants:

> Je **vais sortir.** (très proche)
> Ma sœur **doit** me **téléphoner.** (indéterminé)
> Vous lui **direz** (ordre) que je la **rappellerai.**

---

4. Le futur antérieur

A. Le futur antérieur marque une action qui aura été accomplie à un moment déterminé dans l'avenir, ou avant qu'une action future ne se produise:

> Je suis sûr que demain j'**aurai trouvé** la solution.
> A trois heures, cette lettre **aura été écrite.**
> Ma sœur **aura reçu** une bonne éducation secondaire quand elle entrera à l'université.
> Lorsque nous rentrerons de vacances, ils **auront fini** de construire cette maison.

B. Comme le futur simple, le futur antérieur peut exprimer la probabilité ou la possibilité:

> S'il ne répond pas au téléphone, c'est qu'il **sera sorti.**
> Ce garçon ne vient plus en classe: il **aura décidé** d'abandonner les études.

(Voir 3-C, p. 6.)

DIFFICULTÉS DE TRADUCTION

1. En anglais, les formes *I am going to* et *I shall* sont interchangeables. En français, la forme **je vais** + **infinitif** implique un futur très prochain. On l'emploie de préférence lorsqu'on veut indiquer une action qui va suivre immédiatement:

> *Some day he* $\left\{ \begin{array}{l} \textit{will} \\ \textit{is going to} \end{array} \right\}$ *learn French.*

> Un jour, il **apprendra** le français.

$$We \begin{cases} \textbf{\textit{shall}} \\ \textbf{\textit{are going to}} \end{cases} \textit{call her right away.}$$

Nous **allons** lui **téléphoner** tout de suite.

2. Dans les cas où l'anglais *will* indique une volonté, il ne se traduit pas par le futur, mais par le présent du verbe **vouloir** + **infinitif**:

    Will you marry me? (*Do you want to marry me?*)
    Voulez-vous m'**épouser**?
    Will you have a glass of wine? (*Do you want a glass of wine?*)
    Voulez-vous un verre de vin?

3. Dans les cas où l'anglais *will* indique une action habituelle, il ne se traduit pas par le futur, mais par le présent:

    *He **will** often **refuse** to see me.*
    Il **refuse** souvent de me voir.

4. Après **quand** (*when*), **dès que** (*as soon as*), **aussitôt que** (*as soon as*), **tant que** (*as long as*), **après que** (*after*), le futur simple (ou le futur antérieur) est obligatoire si le verbe principal est au futur ou à l'impératif:

    Je lui parlerai quand il **travaillera (aura travaillé)**.
    *I shall speak to him when he **works** (**has worked**).*

    Aussitôt qu'il **aura fini**, donnez-lui son argent.
    *As soon as **he finishes** (**has finished**) give him his money.*

5. Quand le futur simple ou le futur antérieur indiquent la possibilité ou la probabilité, il faut les traduire en anglais par une locution appropriée:

    Cette maison **appartiendra** à un millionnaire.

$$\textit{This house} \begin{cases} \textbf{\textit{probably belongs to}} \\ \textbf{\textit{must belong to}} \\ \textbf{\textit{presumably belongs to}} \end{cases} \textit{a millionaire.}$$

    Ce château **aura été construit** au XIVe siècle.

$$\textit{This castle} \begin{cases} \textbf{\textit{was probably built}} \\ \textbf{\textit{must have been built}} \\ \textbf{\textit{was presumably built}} \end{cases} \textit{in the XIVth century.}$$

PARTIE B

5. Le présent du conditionnel

A. Le présent du conditionnel peut exprimer une action éventuelle dont l'accomplissement dépend d'une condition qui n'est pas réalisée au moment où l'on parle. Si cette condition se réalise, l'action aura lieu. La condition est généralement introduite par **si** et son verbe est à l'imparfait:

> J'**écrirais** une lettre si j'avais un stylo.
> Si ma sœur était de retour elle m'**aiderait**.
> Vous **verriez** *Phèdre* si vous alliez au théâtre demain.
> Je me demande s'il **aimerait** ce tableau (s'il le voyait).

Mais: Si ma sœur est de retour, elle m'**aidera**.
> Vous **verrez** *Phèdre* si vous allez au théâtre demain.

(Voir 1-G, p. 2.)

B. Le présent du conditionnel peut être employé pour rapporter une affirmation sur laquelle celui qui parle a des doutes, ou de laquelle il n'est pas certain:

> D'après lui, Caruso **chanterait** ce soir.
> Selon la presse, le ministre **hésiterait** à signer le traité.
> Ma sœur **serait** en train d'étudier le latin? J'en doute.
> **Auriez**-vous déjà faim? Vous venez pourtant de manger.

C. Le présent du conditionnel peut avoir la valeur d'un futur dans le passé. C'est-à-dire que, lorsqu'une proposition principale est à un temps passé, le conditionnel de la proposition subordonnée indique un futur par rapport à ce passé:

> Il a dit (à midi) qu'il **viendrait** (à deux heures).
> Je pensais que vous ne **viendriez** pas.
> Saviez-vous que votre sœur **arriverait** le lendemain?

D. Le présent du conditionnel remplace souvent le présent de l'indicatif pour atténuer l'expression, pour la rendre plus polie, en particulier avec les verbes **vouloir**, **pouvoir** et **devoir**:

Je **voudrais** (au lieu de je **veux**) vous parler.
Pourrait-elle (au lieu de **peut-elle**) revenir ce soir?
Vous **devriez** (au lieu de vous **devez**) faire attention.

Remarquer en particulier le premier exemple. Pour exprimer un désir, on emploie de préférence le conditionnel, le présent de l'indicatif étant très énergique:

Nous **voulons** être libres!

Mais: Je **voudrais** un litre de lait.

E. La locution **au cas où** doit être suivie d'un conditionnel:

Au cas où vous ne **viendriez** pas, nous irions sans vous.
Je serai chez moi ce soir, **au cas où** vous **décideriez** de venir.

---

6. Le passé du conditionnel (ou conditionnel antérieur)

A. Le passé du conditionnel peut exprimer une action qui ne s'est pas accomplie dans le passé parce qu'elle dépendait d'une condition qui ne s'est pas réalisée. La condition est généralement introduite par **si** et son verbe est au plus-que-parfait:

J'**aurais écrit** une lettre si j'avais eu un stylo.
Si ma sœur avait été de retour, elle m'**aurait aidé**.

(Comparer à 5-A, p. 9.)

B. Le passé du conditionnel peut être employé pour rapporter une affirmation d'une action passée sur laquelle celui qui parle a des doutes, ou de laquelle il n'est pas certain:

D'après lui, Caruso **aurait chanté** hier soir.
Ma sœur **serait partie** la semaine dernière? C'est étrange.

(Comparer à 5-B, p. 9.)

C. Le passé du conditionnel peut avoir la valeur d'un futur antérieur dans le passé:

Il croyait que sa sœur **serait arrivée** plus tôt.

(Comparer à 5-C, p. 9.)

D. Le passé du conditionnel des verbes qui expriment le désir est encore plus poli que le présent du conditionnel:

> J'**aurais voulu** vous parler
> (plus poli que)
> Je **voudrais** vous parler
> (plus poli que)
> Je **veux** vous parler.

DIFFICULTÉS DE TRADUCTION

1. Une phrase conditionnelle se compose généralement de deux parties: une proposition conditionnelle introduite par **si** (*if clause*) et une proposition indiquant la conséquence. Le tableau ci-dessous donne les concordances de temps les plus fréquentes:

PROPOSITION CONDITIONNELLE	PROPOSITION DE CONSÉQUENCE
a. Présent de l'indicatif	Futur, Impératif
b. Imparfait de l'indicatif	Conditionnel présent
c. Plus-que-parfait de l'indicatif	Conditionnel passé

Exemples:

> *a.* S'il **est** prêt, nous { **allons partir.**
> { **partirons.**
> *If he is ready we will leave.*
> S'il **est** prêt, qu'il **vienne.**
> *If he is ready, let him come.*
>
> *b.* S'il **était** prêt, nous **partirions.**
> *If he were ready, we would leave.*
>
> *c.* S'il **avait été** prêt, nous **serions partis.**
> *If he had been ready, we would have left.*

Remarquer que le français, contrairement à l'anglais, ne peut avoir une proposition conditionnelle ni au futur, ni au conditionnel. Mais lorsque la proposition n'est plus conditionnelle, c'est à dire lorsque **si** a le sens de *whether*, il est suivi par le temps qu'exige le sens:

$$\text{Je ne sais pas si elle} \begin{cases} \text{est déjà prête.} \\ \text{sera bientôt prête.} \\ \text{était prête il y a une heure.} \\ \text{etc.} \end{cases}$$

2. Dans le cas où l'auxiliaire anglais *should* équivaut à *ought to*, il se traduit par le conditionnel du verbe **devoir**:

$$He \begin{cases} \textit{should} \\ \textit{ought to} \end{cases} work. \qquad \text{Il } \textbf{devrait} \text{ travailler.}$$

$$He \begin{cases} \textit{should have} \\ \textit{ought to have} \end{cases} worked. \qquad \text{Il } \textbf{aurait dû} \text{ travailler.}$$

3. Dans le cas où l'auxiliaire anglais *would* indique une volonté, il se traduit par l'imparfait ou le conditionnel du verbe **vouloir**:

> *He came, but I would not see him.*
> Il est venu, mais je ne **voulais** pas le voir.
>
> *Would you do me a favor?*
> **Voudriez**-vous me rendre un service?

4. Dans le cas où l'auxiliaire anglais *would* indique une action habituelle dans le passé, il se traduit par l'imparfait. (Voir 7-B, p. 13):

> *He would often refuse to see me.*
> Il **refusait** souvent de me voir.

DEUXIÈME LEÇON

PARTIE A

7. L'imparfait de l'indicatif

A. L'imparfait sert à décrire les personnes, les choses ou les faits tels qu'ils étaient dans le passé :

> Mon chien **était** noir.
> Sa fille **avait** six ans, mais elle **semblait** plus âgée.
> Les chevaliers du Moyen Âge **portaient** des armures.
> Le courage de Bonaparte **impressionnait** ses soldats.

B. L'imparfait s'emploie pour exprimer une action habituelle dans le passé. (Comparer à 1-C, p. 1) :

> Chaque fois que je l'**invitais** à danser, elle **refusait**.
> Quand j'étais jeune, je **faisais** souvent une promenade avant de me coucher.
> Les Huns **mangeaient** la viande crue.

C. L'imparfait exprime les circonstances qui accompagnent une action principale dans le passé. Il sert par exemple à décrire le décor (*background*) d'une scène, ou ses personnages :

> Il **pleuvait** quand je suis arrivé à Paris.
> La jeune fille, qui **avait** soif, commanda une boisson.
> La nuit **tombait**. Le général **était** un homme grand et taciturne, qui **perdait** rarement la tête. Il donna l'ordre d'attaquer; les soldats sortirent des tranchées et coururent vers l'ennemi.

(Relire l'exemple donné à 1-E-2, p. 2.)

D. L'imparfait décrit une action qui a déjà commencé et qui continue dans le passé. (Comparer à 1-D, p. 1):

> Ma sœur **étudiait** le latin depuis trois ans.
> Il **pleuvait** depuis la veille.
> Il **était** en France depuis trois jours.

E. L'imparfait est un temps passé, mais "imparfait", car il indique qu'une action se déroulait dans le passé, sans indiquer si elle a continué ou non plus tard. Comparer:

Il **était** malade (quand je l'ai vu, peut-être a-t-il guéri depuis).

Il **a été** malade (mais il ne l'est plus).

L'année dernière mon frère **jouait** au tennis (peut être y joue-t-il encore).

L'année dernière mon frère **a joué** au tennis (mais il n'y joue plus).

F. Après **si** conditionnel (traduit en anglais par *if* et non par *whether*) l'imparfait remplace le conditionnel:

> Je lui dirais bonjour si je le **rencontrais**.
> J'irais au cinéma si l'on **jouait** un bon film.
> Si vous **alliez** en ville, je viendrais avec vous.

(Voir Diff. de trad. 1, p. 11.)

G. Aprés **si**, l'imparfait peut exprimer un désir:

> Si j'**étais** riche!
> Si seulement je **pouvais** aller en France!

DIFFICULTÉS DE TRADUCTION

1. Quand on traduit en français un *simple past tense*, il est indispensable d'examiner le contexte dans lequel ce *simple past* est utilisé:

   France was a rich country in the XVIIth century.

Si cette phrase est une simple description, on emploie l'imparfait:

   La France **était** un pays riche au XVIIe siècle.

Si l'on veut indiquer que l'action a été complétée dans le passé, en d'autres termes, si la situation a changé plus tard, on emploie le passé composé ou le passé simple :

La France $\left\{ \begin{array}{l} \textbf{fut} \\ \textbf{a été} \end{array} \right\}$ un pays riche au XVIIe siècle.

I spoke Italian when I was a child (and I still do).
Je **parlais** italien quand j'étais enfant (et je le parle encore).

I spoke Italian when I was a child (but I don't any more).
J'ai parlé italien quand j'étais enfant (mais je ne le parle plus).

2. L'imparfait traduit toute expression anglaise qui indique une action habituelle dans le passé :

When he was a child he $\left\{ \begin{array}{l} \textit{kept crying.} \\ \textit{often cried.} \\ \textit{would often cry.} \\ \textit{used to cry often.} \end{array} \right.$

Quand il était enfant, il **pleurait** souvent.

3. Un *past perfect progressive* anglais qui indique une action qui avait commencé et qui continuait à se dérouler dans le passé se traduit par l'imparfait :

It had been raining since the preceding day.
Il **pleuvait** depuis la veille.

He had been in France for three days.
Il **était** en France depuis trois jours.

---

8. Le passé simple (ou passé défini)

A. Le passé simple est un temps littéraire. Il ne s'emploie guère dans la conversation. Même dans la langue écrite, les deux premières personnes du pluriel sont de nos jours archaïques et on les évite généralement.

B. Le passé simple est un temps historique qui exprime des actions révolues dans le passé :

Les Espagnols **découvrirent** l'Amérique et la **colonisèrent**.
Don Quichotte **chercha** l'aventure et **revint** mourir dans son village.
Les premières troupes américaines **débarquèrent** en France en 1917.

C. Le passé simple ne peut pas s'employer dans une phrase où la période de temps n'est pas complètement écoulée. (Voir 9-B, p. 17):

Hier, j'**écrivis** une lettre; aujourd'hui j'ai reçu la réponse.
Le mois dernier, le tribunal **condamna** l'assassin; on l'a exécuté cette semaine.

D. Dans une narration, on trouve souvent le passé simple employé pour décrire l'action, et l'imparfait employé pour décrire le décor (*background*) ou les personnages:

La nuit tombait, le ciel était couvert. Les passants rentraient chez eux. Une voiture s'**arrêta** devant la porte et deux hommes en **descendirent**. Ils portaient des imperméables et des chapeaux. Ils **entrèrent** dans la maison et y **restèrent** trois heures. Quand ils en **ressortirent**, il pleuvait et la rue était déserte.

E. Le passé simple s'emploie pour indiquer une action qui ne se produit plus, mais qui a été habituelle pendant une période de temps bien définie:

Pendant trois semaines, il ne **mangea** que du pain sec.
Pendant trois semaines, il **étudia** le français une heure par jour.

PARTIE B

9. Le passé composé (ou passé indéfini)

A. Le passé composé exprime une action qui s'est terminée dans le passé :

> Il **a plu.**
> J'**ai écrit** une lettre.
> Ma sœur **a étudié** le latin.
> Ils **ont construit** une maison.

B. Dans la langue écrite comme dans la langue parlée, le passé composé exprime une action terminée dans un espace de temps qui n'est pas encore achevé :

> Aujourd'hui j'**ai écrit** une lettre. (La journée n'est pas encore achevée.)
> Cette semaine ma sœur **a étudié** le latin.
> Cette année ils **ont construit** une maison.

C. Comme le passé simple, le passé composé s'emploie pour indiquer une action qui ne se produit plus, mais qui a été habituelle pendant une période de temps bien définie. (Voir 8-E, p. 16) :

> Pendant trois semaines, il n'**a mangé** que du pain sec.
> Il **a plu** neuf fois pendant que nous étions à Paris.

D. Si le passé simple est un temps littéraire, le passé composé est le temps de la conversation. Comparer :

STYLE DE LA CONVERSATION

Jean-Paul Sartre **est né** à Paris en 1905. Il **est entré** à l'Ecole Normale Supérieure en 1928. Il **a enseigné** la philosophie au Havre, et **a joué** un rôle important dans la Résistance.

STYLE LITTÉRAIRE

Jean-Paul Sartre **naquit** à Paris en 1905. Il **entra** à l'Ecole Normale Supérieure en 1928. Il **enseigna** la philosophie au Havre, et **joua** un rôle important dans la Résistance.

17

En fait, il est souvent possible d'employer alternativement le passé simple et le passé composé:

Jean-Paul Sartre naquit à Paris en 1905. Il **est entré** à l'Ecole Normale Supérieure et **a enseigné** la philosophie. Il joua un rôle important dans la Résistance. Il **a écrit** des romans et des pièces de théâtre.

E. Après **si** conditionnel, le passé composé remplace le futur antérieur. (Voir Diff. de trad. 1, p. 11):

Si ma sœur **n'a pas passé** son examen en juin, elle n'ira pas en Espagne.
Si vous **avez fini** dans une heure, je vous donnerai cinq francs.

Familièrement, le passé composé peut d'ailleurs remplacer le futur antérieur:

J'ai fini dans cinq minutes.

DIFFICULTÉS DE TRADUCTION

1. Le passé composé se traduit en anglais par le *present perfect* ou par le *past*:

J'ai écrit une lettre.

$$I \begin{cases} \textit{wrote} \\ \textit{did write} \\ \textit{have written} \end{cases} \textit{a letter.}$$

10. Le plus-que-parfait de l'indicatif

A. Lorsqu'on emploie le plus-que-parfait, on décrit des actions qui étaient déjà terminées à un moment du passé:

La campagne était toute blanche parce qu'il **avait neigé** toute la nuit.
Quand Victor Hugo s'est exilé, il **avait** déjà **publié** plusieurs livres.
Pierre gagna la course puisque personne n'**était arrivé** avant lui.

B. Le plus-que-parfait peut exprimer une action habituelle:

Quand elles **avaient fini** de manger, elles allaient se promener.
Lorsque son patron **était parti**, le valet de chambre fumait ses cigares.

C. Soit dans une proposition principale, soit dans une subordonnée, le plus-que-parfait peut exprimer la possibilité dans le passé:

Encore une semaine sans pluie, et les paysans **avaient perdu** leurs récoltes.

Vous auriez de bonnes notes si vous **aviez étudié.**

D. Après **si,** le plus-que-parfait peut exprimer le regret:

Si j'**avais été** riche!

Si seulement j'**avais pu** aller en France!

(Comparer à 7-G, p. 14.)

E. L'expression **venir de** (à l'imparfait) + **infinitif** exprime un plus-que-parfait immédiat:

Le concert **venait de finir** quand nous sommes arrivés.

Le soleil **venait de se lever** quand le paysan se réveilla.

DIFFICULTÉS DE TRADUCTION

1. Le plus-que-parfait traduit le *pluperfect* anglais:

*It **had rained** all morning.*

Il **avait plu** toute la matinée.

2. L'anglais parlé substitue parfois un *past* à un *pluperfect.* Cela est impossible en français:

The police wanted to know who $\left\{ \begin{array}{l} saw \\ had\ seen \end{array} \right\}$ *the thief.*

La police voulait savoir qui **avait vu** le voleur.

---

11. Le passé antérieur et le passé surcomposé

A. Comme le plus-que-parfait, le passé antérieur exprime une action passée qui s'est produite avant une autre action passée. Il est employé surtout dans les propositions subordonnées, après les conjonctions **quand, lorsque, après que, dès que, à peine,** qui marquent l'antériorité immédiate:

> Quand il **eut fini,** il partit.
> Lorsqu'elle **fut arrivée,** la fête commença.
> Aussitôt que je **fus guéri,** je quittai l'hôpital.
> Dès qu'ils **furent morts,** on les enterra.
> A peine **eut**-il **fini** qu'elles partirent.[1]

Remarquer l'emploi du passé simple, pour rester dans le style de la langue écrite.

B. La passé surcomposé remplace le passé antérieur dans la langue parlée:

> Quand il **a eu fini,** il est parti.
> Après que nous **avons eu mangé,** nous avons fumé.
> Aussitôt que j'**ai été guéri,** j'ai quitté l'hôpital.
> A peine **a**-t-il **eu fini** qu'elles sont parties.

Remarquer l'emploi du passé composé, pour rester dans le style de la langue parlée.

NOTES

[1] L'adverbe **à peine** exige toujours l'inversion du verbe et du sujet:

> A peine **a-t-elle été partie** que sa sœur est arrivée.
> A peine **a-t-il ouvert** la porte qu'il s'est mis à pleuvoir.
> A peine **eut-il fini** qu'elles partirent.

DIFFICULTÉS DE TRADUCTION

1. Le passé antérieur et le passé surcomposé se traduisent en anglais par le *pluperfect*:

> Quand il **eut fini,** il partit.
> *When he **had finished,** he left.*
> Après que nous **avons eu mangé,** nous sommes partis.
> *After we **had eaten,** we left.*

TROISIÈME LEÇON

PARTIE A

12. Les verbes pronominaux et réciproques

A. Le sujet d'un verbe pronominal agit, directement ou indirectement, sur lui-même. Ainsi, tout verbe ayant un pronom réfléchi pour complément d'objet direct ou indirect est un verbe pronominal:

Nous **nous** sommes lavés. (**nous**, objet direct)
Nous **nous** sommes lavé les mains. (**nous**, objet indirect)

B. Presque tous les verbes transitifs peuvent devenir pronominaux par l'usage du pronom réfléchi:

Je regarde Marie. Je **me** regarde.
Il achète un livre. Il **s'**achète un livre.

C. Certains verbes changent de sens lorsqu'ils deviennent pronominaux. (Voir Diff. de trad. 3, p. 23.)

D. Un verbe pronominal se conjugue toujours avec l'auxiliaire **être**:

J'ai regardé l'eau. Je **me suis** regardé dans l'eau.
Il a acheté un livre. Il **s'est** acheté un livre.

E. On remplace parfois une forme passive par une forme pronominale, surtout lorsque l'action indiquée par le verbe est une action normale, habituelle. (Voir 14-F, p. 30):

Le vin est utilisé pour la cuisine.
Le vin **s'utilise** pour la cuisine.

F. Un verbe réciproque (ou plus exactement un verbe pronominal à sens réciproque) indique que deux ou plusieurs sujets agissent l'un sur l'autre:

> Mon frère et sa fiancée **s'écrivent** souvent. (Mon frère écrit à sa fiancée et sa fiancée écrit à mon frère.)
> Les Français et les Italiens **se respectent**.

G. L'idée de réciprocité est souvent renforcée par les locutions **l'un l'autre,**[1] **les uns les autres,**[1] ou par les adverbes **ensemble, mutuellement**:

> Les Français et les Italiens se repectent **les uns les autres (mutuellement)**.

NOTES

[1] Quand le verbe exige un complément d'objet indirect, ces locutions exigent la préposition qui convient: **l'un à l'autre, les uns aux autres, l'un avec l'autre, les uns avec les autres,** etc.:

> Mon frère et sa fiancée s'écrivent souvent **l'un à l'autre**.
> Pierre et Marie se promènent souvent $\begin{cases} \textbf{l'un avec l'autre.} \\ \textbf{ensemble.} \end{cases}$

Ces locutions permettent d'éviter des ambiguïtés possibles. Ainsi dans la phrase "Ils se sont regardés" le verbe est pronominal; pour qu'il prenne un sens clairement réciproque, il faut ajouter **les uns les autres** ou **mutuellement**.

DIFFICULTÉS DE TRADUCTION

1. La plupart des verbes pronominaux se traduisent en anglais au moyen des *reflexive pronouns*:

> Il **s'achète** un livre.   Nous **nous sommes** lavés.
> *He buys **himself** a book.*   *We washed **ourselves**.*

2. Les verbes français pronominaux à sens réciproque se traduisent en anglais grâce aux locutions *each other* et *one another*:

Mon frère et sa fiancée **s'écrivent** souvent.
*My brother and his fiancée write **each other** (**one another**) often.*

Les Français et les Italiens **se respectent**.
*The French and the Italians respect **each other** (**one another**).*

3. Certains verbes changent de sens en devenant pronominaux:

amuser	*to amuse*	s'amuser	*to have a good time*
appeler	*to call*	s'appeler	*to be named*
attendre	*to wait for*	s'attendre (à)	*to expect*
demander	*to ask (for)*	se demander	*to wonder*
douter (de)	*to doubt*	se douter (de)	*to suspect*
élever	*to raise*	s'élever	*to rise*
jeter	*to throw*	se jeter	*to empty (of a river)*
lever	*to raise up*	se lever	*to get up (arise)*
mettre	*to put*	se mettre (à)	*to begin*
passer	*to pass*	se passer (de)	*to do without*
plaindre	*to pity*	se plaindre (de)	*to complain*
porter	*to carry, wear*	se porter	*to be (of health)*
rappeler	*to call back*	se rappeler	*to remember*
retourner	*to return, turn around* (trans.)	se retourner	*to turn around*
tromper	*to deceive*	se tromper	*to be mistaken*
trouver	*to find*	se trouver	*to be situated*

---

13. Le participe passé

A. Le participe passé est souvent employé comme un adjectif, qui s'accorde en genre et en nombre avec le nom auquel il se rapporte. Dans ce cas, le participe passé suit le nom:

> un général **vaincu**
> une ville **entourée**
> des villages **détruits**
> des petites filles **gâtées**

B. Le participe passé employé comme adjectif peut avoir un sens passif, et donc un complément d'agent:

un général **vaincu** par l'ennemi
une ville **entourée** de fortifications
des villages **détruits** par les bombes
des petites filles **gâtées** par leurs parents

C. Le participe passé a formé un grand nombre de noms :

un **associé**, un **reçu**, un **permis**, une **étendue**, une **conduite**, etc.

D. Quand une proposition principale est postérieure dans le temps à une proposition subordonnée, le verbe auxiliaire est fréquemment omis :

Le repas **fini**, les invités partirent. (D'abord le repas a été terminé, ensuite les invités sont partis.)
La paix **signée**, les restrictions cessèrent.

E. Le participe passé conjugué avec **être** :[1]

1. S'accorde avec le sujet :

Ma sœur est **venue.**
Les maisons furent **construites.**

2. Mais si le verbe est pronominal, le participe passé s'accorde avec le complément d'objet direct, s'il précède le verbe ; autrement, il reste invariable :

Elle s'est **lavée.** (**Se**, complément d'objet direct, précède le verbe, donc accord.)
Elle s'est **lavé** la tête. (**Tête**, complément d'objet direct, suit le verbe ; le participe reste donc invariable. **Se** est le complément d'objet indirect.)
Elles se sont **coupées.**
Elles se sont **coupé** les cheveux.
Les blessures qu'ils se sont **faites** n'étaient pas graves.

F. Le participe passé conjugué avec **avoir** :

1. S'accorde avec le complément d'objet direct si celui-ci précède le verbe :

La lettre que j'ai **écrite**, je l'ai **mise** à la poste.
La maison qu'ils ont **construite** est à nous.

2. Autrement, il reste invariable:

> J'ai **écrit** tout de suite à ma sœur. (Pas de complément d'objet direct.)
>
> J'ai **écrit** une lettre à ma sœur. (Le complément d'objet direct suit le verbe.)

G. Le participe passé conjugué avec **avoir** et suivi d'un infinitif complément d'objet (par exemple **faire, vouloir, devoir, pouvoir**) reste invariable:

> La voiture que j'ai **fait** réparer est au garage. (**Réparer** est le complément d'objet de **faire**, qui reste invariable.)
>
> Les pommes qu'elle a **voulu** manger étaient vertes.
>
> Les poésies que nous avons **dû** apprendre étaient de Hugo.
>
> Les cravates que j'ai **pu** trouver étaient sales.

H. Bien qu'il soit dans tous les cas permis de laisser invariable un participe passé suivi d'un infinitif, le français fait souvent une distinction selon que l'infinitif a ou n'a pas un sujet. Par exemple, les verbes **voir, entendre, laisser,** etc. peuvent être suivis d'un infinitif qui, lui aussi, a un sujet:

> La dame que j'ai **vue** danser est belle. (Qui danse? **La dame,** donc **dame** est sujet de l'infinitif **danser.**)

Si ce sujet précède le participe passé, celui-ci s'accorde avec lui. La difficulté est de distinguer si l'infinitif a un sujet ou s'il a un complément d'objet direct. Etudier attentivement les exemples ci-dessous:

> La dame que j'ai **vue** danser est belle. (**La dame,** sujet de **danser,** précède le participe passé qui, donc, s'accorde.)
>
> Les ballets que j'ai **vu** danser étaient beaux. (Qui danse? Ce n'est pas dit, donc **danser** n'a pas de sujet. Danser quoi? Les ballets. **Ballets** est donc complément d'objet direct de **danser.** Le participe passé reste invariable.)
>
> Les chanteuses que nous avons **entendues** chanter étaient françaises.
>
> Les chansons que nous avons **entendu** chanter étaient françaises.

Remarquer que, pour qu'il y ait accord, le sujet de l'infinitif doit précéder le participe passé:

Les ballets que j'ai **vu** les paysannes danser était beaux. (**Paysannes** est bien le sujet de **danser**, mais, comme ce sujet suit le participe passé, celui-ci reste invariable.)

I. Le participe passé ne s'accorde ni avec **en**, ni avec **dont**. L'accord avec **combien** est facultatif:

Combien de pommes avez-vous **pris** (ou **prises**)? J'en ai **pris** six.
Les liqueurs dont nous avons **bu** étaient excellentes.

J. Le participe passé d'un verbe impersonnel reste invariable:

La chaleur qu'il a **fait** hier nous a empêchés de travailler.
Vous n'imaginez pas la patience qu'il m'a **fallu** pour résoudre ce problème.
Toute l'eau qu'il a **plu** n'a pas suffi à faire pousser l'herbe.

K. Les participes passés **attendu**, **excepté**, **vu**, **y compris**, **passé**, **supposé**, employés comme prépositions, restent invariables:

Passé six heures, le magasin est fermé.
Ma sœur **y compris**, il y aura dix personnes à dîner.
Tous les pays ont une armée, **excepté** la Norvège.

NOTES

[1] Les verbes qui se conjuguent avec l'auxiliaire **être** sont:

a. Les verbes au passif.

b. Les verbes intransitifs suivants:

accourir	*to come running*	partir	*to leave*
aller	*to go*	rentrer	*to go (come) back*
arriver	*to arrive*	rester	*to stay*
descendre	*to go down*	retourner	*to go back*
entrer	*to enter*	sortir	*to go out*
monter	*to go up*	tomber	*to fall*
mourir	*to die*	venir	*to come*
naître	*to be born*		

On peut remarquer que ces verbes indiquent la direction d'un mouvement, sans le décrire.

Certains des verbes intransitifs ci-dessus ont aussi un sens transitif. Dans ce sens, ils se conjuguent avec l'auxiliaire **avoir**. Comparer:

1. Je **suis** monté au [descendu du] troisième étage.
   I came up to [down from] the third floor.   (intransitif)

   J'**ai** monté [descendu] une valise.
   I carried a suitcase up [down].   (transitif)

   J'**ai** monté [descendu] l'escalier.
   I went up [came down] the stairs.   (transitif)

2. Je **suis** retourné en France.
   I went back to France.   (intransitif)

   J'**ai** retourné le piano.
   I turned the piano around.   (transitif)

3. Je **suis** rentré à la maison.
   I returned home.   (intransitif)

   J'**ai** rentré le paquet.
   I carried in the package.   (transitif)

Le verbe **passer**, transitif et intransitif, se conjugue généralement avec l'auxiliaire **avoir**. Dans certaines expressions, généralement quand le verbe **passer** n'a pas de complément d'objet, il se conjugue avec **être**:

> Il **a** passé la frontière.
> *He crossed the border.*
>
> Il m'**a** passé ses notes.
> *He passed me his notes.*
>
> Jean **est** passé ce matin.
> *John went by this morning.*

DIFFICULTÉS DE TRADUCTION

1. Dans une proposition dont l'auxiliaire est omis, cet auxiliaire sous-entendu se traduit par *having been* + *past participle* ou par *having* + *past participle*, selon le cas:

Le repas **fini**, les invités partirent.
*The dinner **having been finished**, the guests left.*

La paix **signée**, les restrictions cessèrent.
*The peace **having been signed**, restrictions stopped.*

Une fois **arrivé**, il attendit.
*Once **having arrived**, he waited.*

Son tour **venu**, il prit la parole.
*His turn **having come**, he took the floor.*

PARTIE B

14. Le passif et comment l'éviter

A. Un verbe est au passif quand son sujet n'agit pas, mais subit l'action. Dans ce cas, l'action est faite par le complément d'agent:

La garçon (sujet) **est puni** par son père (complément d'agent).

B. Le plus souvent, le complément d'agent est introduit par la préposition **par**. Quand il ne s'agit pas d'une action mais d'une situation statique, le complément d'agent est d'ordinaire introduit par la préposition **de**. Ainsi on dira de préférence:

La ville est entourée **par** l'ennemi.   (Puisqu'il y a action.)
La ville est entourée **de** montagnes.   (Puisque c'est une situation statique.)
Cette maison a été construite **par** mes ancêtres.   (action)
Ce garçon est estimé **de** (**par**) ses amis.   (situation statique ou action)
La terre est couverte **de** neige.   (situation statique)

C. Le passif se forme avec le verbe **être** plus le participe passé, qui s'accorde avec le sujet:

La jeune fille **est punie** par son père.

Quand l'auxiliaire **être** du passif est lui-même composé, c'est toujours le participe passé du passif (et non de l'auxiliaire **être**) qui s'accorde avec le sujet:

La jeune fille **a été punie** par son père.
Les roses **auront été coupées** par le jardinier.
Les dames **avaient été accompagnées** de (par) leurs frères.

D. Le français, surtout de nos jours, tend à éviter le passif, pour des raisons de stylistique et par souci de clarté. Ainsi, par exemple, la phrase:

Ces livres sont vendus aux étudiants

est ambiguë; elle peut vouloir dire que l'action de vendre est terminée, que ces livres ne sont plus en vente, ou bien (dans le sens passif), que ces livres sont destinés aux étudiants plutôt qu'à d'autres acheteurs. Bien entendu, lorsque le complément d'agent est exprimé (ce qui n'est pas toujours le cas) l'ambiguïté disparaît:

Ces livres sont vendus aux étudiants par la librairie de l'université

est, sans aucun doute, une forme passive.

E. Lorsque le complément d'agent est exprimé, la seule façon d'éviter le passif, si on le désire, est de transformer la phrase en une phrase active, par la transformation du complément d'agent en sujet:

Les roses **auront été coupées** par le jardinier
devient
Le jardinier **aura coupé** les roses.

F. Lorsque le complément d'agent n'est pas exprimé, deux cas se présentent:

1. Le sujet n'est pas une personne. Dans ce cas, on peut remplacer le passif par **on + verbe actif**, ou par un verbe pronominal.[1] Ainsi, l'on peut dire:

Le français **est parlé** ici.
ou   **On parle** français ici.
ou   Le français **se parle** ici.

Le gaz **est utilisé** pour la cuisine.
ou   **On utilise** le gaz pour la cuisine.
ou   Le gaz **s'utilise** pour la cuisine.

2. Le sujet est une personne. Dans ce cas on peut remplacer le passif par **on + verbe actif** (mais non pas par un verbe pronominal):

J'ai été **battu**: On m'a **battu**.
Elle **sera admirée**: On l'admirera.

NOTES

[1] Du point de vue stylistique, ces deux possibilités sont loin d'être toujours interchangeables. On a tendance à employer le verbe pronominal lorsqu'il s'agit d'une action normale, habituelle, tandis que la forme **on** + **verbe actif** s'emploie plutôt pour parler d'un fait qui ne va pas nécessairement de soi:

Le français **se parle** dans tous les continents. (Ceci est un fait que l'on suppose connu de tout le monde.)

On parle français dans certaines parties de la Louisiane. (Beaucoup de gens ignorent ce fait.)

Le poisson ne **se mange** généralement pas cru. (fait connu)

Au Japon, **on mange** souvent le poisson cru. (fait peu connu)

DIFFICULTÉS DE TRADUCTION

1. La préposition **par**, qui introduit le complément d'agent, se traduit en anglais par *by*:

> Le garçon est puni **par** son père.
> *The boy is punished by his father.*

> La ville est entourée **par** l'ennemi.
> *The city is surrounded by the enemy.*

La préposition **de**, qui introduit le complément d'agent, se traduit parfois par *by*, parfois par *with*:

> La terre est couverte **de** neige.
> *The ground is covered with snow.*

> La ville est entourée **de** montagnes.
> *The city is surrounded by mountains.*

2. L'anglais possède ce qu'on pourrait appeler un **faux passif**, c'est-à-dire quand un complément d'objet indirect (et non pas direct) est employé comme sujet du passif:

> *My brother was lent a car.*

Dans ce cas, il faut remplacer ce **faux passif** par un vrai passif avant de traduire:

A car was lent to my brother: { On a prêté une auto à mon frère.
Une auto a été prêtée à mon frère.

La même chose se produit lorsqu'un verbe, transitif en anglais, est intransitif en français :

The letter was answered.

Mais le français dit **répondre à**, donc :

On a répondu **à** la lettre.

---

15. Concordance des temps

A. Les rapports qui peuvent exister entre le temps d'une proposition principale et celui d'une proposition subordonnée sont d'une grande variété. Nous n'en donnons ici que les plus fréquents. Les rapports de temps illustrés ci-dessous sont ceux où les verbes des propositions principales sont à l'indicatif ou au conditionnel. Pour comprendre les différents emplois des verbes subordonnés, l'étudiant peut se reporter aux chapitres qui leur correspondent. On remarquera que la concordance des temps en français diffère peu de la concordance des temps en anglais.

B. Avec une principale au présent de l'indicatif :

1. Si l'action subordonnée est antérieure à l'action principale, la subordonnée peut être :

à l'imparfait :
Je déclare qu'il **travaillait**. (descriptive ou habituelle)

au passé simple :
Je déclare qu'il **travailla**. (action terminée, langue écrite)

au passé composé :
Je déclare qu'il **a travaillé**. (action terminée, langue parlée)

au plus-que-parfait :
Je déclare qu'il **avait travaillé** (avant d'aller jouer).

2. Si l'action subordonnée et l'action principale sont simultanées, la subordonnée est au présent :

> Je déclare qu'il **travaille**.

3. Si l'action subordonnée est postérieure à l'action principale, la subordonnée peut être :

au futur :

> Je déclare qu'il **travaillera** (demain).

au futur antérieur :

> Je déclare qu'il **aura travaillé** (quand nous rentrerons).

C. Avec une principale à un temps passé de l'indicatif :

1. Si l'action subordonnée est antérieure à l'action principale, la subordonnée est au plus-que-parfait (quelquefois au passé antérieur ou surcomposé, voir 11, p. 19) :

Je déclarais
Je déclarai
J'ai déclaré
J'avais déclaré
(à 5 heures) qu'il **avait travaillé** de 3 heures à 4 heures.

2. Si l'action subordonnée et l'action principale sont simultanées, la subordonnée est à l'imparfait :

Je déclarais
Je déclarai
J'ai déclaré
J'avais déclaré
qu'il **travaillait**.

3. Si l'action subordonnée est postérieure à l'action principale, il y a deux possibilités :

a. L'action subordonnée reste dans le passé. Dans ce cas la subordonnée est au futur simple dans le passé (présent du conditionnel, voir 5-C, p. 9), ou au futur antérieur dans le passé (passé du conditionnel, voir 6-C, p. 10) :

Je déclarais
Je déclarai
J'ai déclaré
J'avais déclaré
qu'il
travaillerait (plus tard).
aurait travaillé (après notre départ).

b. L'action subordonnée déborde sur le présent ou le futur.
La subordonnée est au présent ou au futur, selon le cas :

$$
\left.\begin{array}{l}
\text{Je déclarais} \\
\text{Je déclarai} \\
\text{J'ai déclaré} \\
\text{J'avais déclaré}
\end{array}\right\} \text{qu'il} \left\{\begin{array}{l}
\textbf{travaille} \text{ (en ce moment).} \\
\textbf{travaillera} \text{ (jusqu'à demain).}
\end{array}\right.
$$

D. Avec une principale à un temps futur de l'indicatif :

1. Si l'action subordonnée est antérieure à l'action principale, la subordonnée peut être :

au passé simple :
> Je déclarerai (aurai déclaré) qu'il **travailla.**

au passé composé :
> Je déclarerai (aurai déclaré) qu'il **a travaillé.**

à l'imparfait :
> Je déclarerai (aurai déclaré) qu'il **travaillait.**

au plus-que-parfait :
> Je déclarerai (aurai déclaré) qu'il **avait travaillé.**

2. Si l'action subordonnée est simultanée à l'action principale, la subordonnée est au présent :

> Je déclarerai (aurai déclaré) qu'il **travaille.**

3. Si l'action subordonnée est postérieure à l'action principale, la subordonnée est au futur ou au futur antérieur :

> Je déclarerai (aurai déclaré) qu'il **travaillera** (demain).
> Je déclarerai (aurai déclaré) qu'il **aura travaillé** (quand nous rentrerons).

E. Noter que l'on emploie le présent dans la subordonnée, quel que soit le temps de la principale, si la subordonnée a une valeur générale ou habituelle :

$$
\left.\begin{array}{l}
\text{Je déclare} \\
\text{Je déclarais} \\
\text{Je déclarerai} \\
\text{J'avais déclaré} \\
\text{etc.}
\end{array}\right\} \text{que la colère } \textbf{est} \text{ un péché.}
$$

F. Lorsqu'une principale et une subordonnée à l'indicatif ont le même sujet, on remplacera généralement la subordonnée par une proposition infinitive :

> Nous croyons avoir trouvé la réponse.
> Nous avions cru trouver la réponse.
> Il dit avoir compris le problème.
> Il voulait comprendre le problème.

QUATRIÈME LEÇON

PARTIE A

16. Le subjonctif dans les propositions principales

Dans les propositions principales, le subjonctif exprime le souhait, et peut ne pas être introduit par **que**:[1]

> Que Votre Volonté **soit** faite.
> **Vive** la France!
> **Meurent** les traîtres!

Cet usage est rare. On peut considérer que les propositions de ce genre sont en réalité des propositions subordonnées, dont la principale est sous-entendue:

> Je désire que
> Je souhaite que
> Nous désirons que
> Il est souhaitable que
> } Votre Volonté **soit** faite.
> **vive** la France.
> **meurent** les traîtres.

NOTES

[1] On sait que le subjonctif sert d'impératif à la troisième personne (voir 2-D, p. 4). Cela est compréhensible, car l'ordre et le souhait sont très proches l'un de l'autre. Seul le contexte permet de savoir si l'expression **Que meurent les traîtres** exprime un désir ou un commandement.

DIFFICULTÉS DE TRADUCTION

1. Les propositions principales au subjonctif deviennent souvent des expressions idiomatiques. Ainsi:

Soit! (Indique l'assentiment.) *So be it!*

Ainsi **soit**-il. (Se dit à la fin d'une prière.) *Amen.*

A Dieu ne **plaise!** *God forbid!*

Qu'à cela ne **tienne.** *Don't let that stand in the way. Never mind.*

Vive le roi! *Long live the king!*

---

17. Le subjonctif dans les propositions subordonnées substantives

A. Une proposition subordonnée substantive est introduite par **que** et sert de sujet ou de complément d'objet au verbe:

Que vous puissiez réussir ne semble pas probable. (sujet de **sembler**)

Elle m'a dit **que vous partiriez.** (complément d'objet de **dire**)

Le mode de ces propositions subordonnées substantives est déterminé par le verbe de la proposition principale. La subordonnée est au subjonctif quand le verbe de la principale exprime une attitude subjective telle que:

1. L'émotion:

> Elle est enchantée qu'il ne **soit** pas ici.
> J'ai peur que vous ne[1] **manquiez** le train.
> Nous sommes contents que vous **ayez réussi.**
> Etes-vous heureux qu'il **ait fait** beau?

2. Le jugement:

> Il est regrettable que vous **soyez** en retard.
> Il est temps que ce scandale **finisse.**
> Il n'est pas juste que vous **ayez perdu.**

3. L'ordre ou la défense, le souhait[2] ou le regret:

> Je veux qu'il **vienne** avec nous. (ordre)
> J'ordonne que tout **soit** prêt demain. (ordre)
> Je défends que vous **sortiez.** (défense)
> Je ne veux pas que vous **parliez.** (défense)
> Je désire qu'il **vienne** avec nous. (souhait[2])
> Je prie le ciel que vous **réussissiez.** (souhait[2])
> Je regrette que vous **sortiez.** (regret)
> Je suis désolé que vous n'**ayez** pas **réussi.** (regret)

4. Le doute, la possibilité, l'impossibilité, l'improbabilité:

> Je ne crois pas qu'il **vienne**. (doute)
> Je doute qu'il le **sache**. (doute)
> Il est possible qu'elle **dise** la vérité. (possibilité)
> Il se peut qu'elle **soit** malade. (possibilité)
> Il est impossible qu'elle **vienne**. (impossibilité)
> Il est improbable qu'elle **soit** malade. (improbabilité)

Mais la subordonnée est à l'indicatif quand le verbe de la principale exprime la probabilité:

> Il est probable qu'elle **est** malade.

B. Une proposition subordonnée substantive au subjonctif qui suit la préposition **à** de certaines expressions idiomatiques est introduite par **ce que**:

> Je m'oppose à **ce que** vous **sortiez**. (*to be opposed to . . .*)
> Il s'attend à **ce qu'**elle **revienne**. (*to expect . . .*)
> Nous tenons à **ce que** vous **sachiez** cela. (*to insist . . .*)

C. Il n'est pas toujours facile de savoir si le français considère que la proposition principale indique une attitude subjective et donc exige le subjonctif. Ainsi:

1. Quand le verbe de la principale exprime une déclaration (verbes **dire**, **raconter**, **affirmer**, **déclarer**, **annoncer**, etc.):

a. Si le verbe est à l'affirmatif, la subordonnée est à l'indicatif:

> Il déclare ⎫
> Il dit ⎬ que cela **est** vrai.
> Il affirme ⎭

b. Si le verbe est au négatif, la subordonnée est au subjonctif:

> Il ne déclare pas ⎫
> Il ne dit pas ⎬ que cela **soit** vrai.
> Il n'affirme pas ⎭

c. Si le verbe est à l'interrogatif (affirmatif et négatif), la subordonnée est à l'indicatif:

Dit-il (ne dit-il pas)
Affirme-t-il (n'affirme-t-il pas) } que cela **est** vrai?

2. Quand le verbe de la principale exprime une pensée (verbes **croire, penser, supposer, deviner, s'imaginer, être sûr,** etc.):

a. Si le verbe est à l'affirmatif, la subordonnée est à l'indicatif:

Elle croit
Elle pense } que cela **est** vrai.
Elle est sûre

b. Si le verbe est au négatif ou à l'interrogatif, un élément de doute est introduit, et la subordonnée est donc générale-ment[3] au subjonctif:

Elle ne croit pas
Elle ne pense pas } que cela **soit** vrai.
Elle n'est pas sûre

Croit-elle (ne croit-elle pas)
Pense-t-elle (ne pense-t-elle pas) } que cela **soit** vrai?
Est-elle sûre (n'est-elle pas sûre)

D. Quand une proposition subordonnée substantive au subjonctif a le même sujet que la proposition principale, cette subordonnée est généralement remplacée par une proposition infinitive:

Elle [Marie] est désolée qu'elle [Marthe] ne **soit** pas ici.
Mais: Elle est désolée de ne pas **être** ici.

J'ai peur que vous ne[1] **manquiez** le train.
Mais: J'ai peur de **manquer** le train.

Nous sommes contents que vous **ayez réussi.**
Mais: Nous commes contents d'**avoir réussi.**

Je ne veux pas que vous **parliez.**
Mais: Vous ne voulez pas **parler.**

Nous tenons à ce que vous **sachiez** cela.
Mais: Vous tenez à **savoir** cela.

Quand un verbe impersonnel tel que **il faut, il est temps, il vaut mieux, il est possible,** etc.... qui exige normalement un subjonctif ne se réfère pas à un sujet déterminé, l'infinitif remplace le subjonctif:

Il faut que vous **partiez**.

Mais: Il faut **partir**.

Il est temps que ce scandale **finisse**.

Mais: Il est temps de **finir** ce scandale.

Il vaut mieux que vous **lisiez** à haute voix.

Mais: Il vaut mieux **lire** à haute voix.

Il est possible que nous **achetions** ce livre.

Mais: Il est possible d'**acheter** ce livre.

NOTES

[1] Avec une expression de crainte, le **ne** explétif est obligatoire:

Je crains ⎱
J'ai peur ⎰ qu'elle **ne soit** malade.

[2] Le verbe **espérer**, bien qu'exprimant le souhait, suit les mêmes règles que les verbes de pensée. (Voir 17-C-2, p. 39):

Elle espère que cela **est** vrai.

Elle n'espère pas que cela **soit** vrai.

Espère-t-elle que cela **soit** vrai?

[3] Certaines propositions principales exprimant une pensée à l'interrogatif ou au négatif peuvent être quand même suivies d'une subordonnée à l'indicatif. L'indicatif indique une certitude, ou tout au moins une probabilité. Le subjonctif indique un doute, ou tout au moins une possibilité. La nuance est importante. Comparer:

Croyez-vous que cela **est** vrai?

Cela équivaut à dire: "Cela est vrai. Le croyez-vous?" En d'autres termes, celui qui parle postule une vérité dans la subordonnée. Un homme religieux dira: "Croyez-vous que Dieu **est** tout-puissant?"

Croyez-vous que cela **soit** vrai?

Ici, au contraire, celui qui parle demande une opinion sur un fait qu'il ne postule pas comme une vérité absolue. Le même homme religieux demandera: "Croyez-vous que Dieu **soit** injuste?"

Souvent, celui qui parle emploie le subjonctif quand il s'attend à une réponse négative:

—Croyez-vous que mon fils **soit** un imbécile?
—**Non**, mais je crois qu'il **est** paresseux.
—Pensez-vous qu'il **réussira** tout de même à son examen?
—**Oui**, mais il n'aura pas une bonne note.

Il est évident que, dans la majorité des cas, les règles indiquées à C-2-*b*, p. 39, s'appliquent.

DIFFICULTÉS DE TRADUCTION

1. Les verbes ci-dessous, indiquant l'ordre, la défense et la permission sont rarement suivis d'une proposition subordonnée au subjonctif. Celle-ci est remplacée par un complément d'objet indirect (généralement introduit par **à**), suivi d'un infinitif (introduit par **de**):

ordonner		to order		
commander		to command		
demander		to ask		
écrire	à quelqu'un **de**	to write	someone to do
défendre	faire quelque chose.	to forbid	something.
conseiller		to advise		
dire		to tell		
permettre		to allow		

Le père **ordonne** à son fils **de** venir.
Le capitaine **commande** à ses troupes **de** prendre leurs armes.
Il **demande** à son père **de** lui pardonner.
J'**écrirai** à mes parents **de** m'envoyer de l'argent.
La maladie lui (complément d'objet indirect) **défend** de sortir.
Il m' (complément d'objet indirect) **a conseillé de** partir.
Avez-vous **dit** aux enfants **de** manger?
Le mauvais temps n'a pas **permis** aux jeunes filles **de** se promener.

Quand on emploie le subjonctif avec les verbes ci-dessus, ils prennent une nuance impérative très forte:

Le père ordonne que son fils **vienne**.
The father orders that his son come.

Le capitaine ordonne que ses troupes **prennent** leurs armes.
*The captain orders that his troops **take up** their arms.*

2. Les verbes ci-dessous remplacent généralement le subjonctif de la subordonnée par un complément d'objet direct suivi d'un infinitif introduit par **de**:

Empêcher quelqu'un **de** faire quelque chose
(*to prevent someone from doing something*):
La chaleur les (complément d'objet direct) **empêche de** travailler.

Persuader quelqu'un **de** faire quelque chose
(*to convince someone to do something*):
Mon père le **persuade de** venir.

3. Excepté dans les cas traités aux Nos. 1 et 2, une *infinitive construction* anglaise ayant un nom ou un pronom pour sujet se traduit en français par une proposition subordonnée nominale:

I want Pierre to do it.
Je veux que Pierre le fasse.

We want everyone to know it.
Nous voulons que tout le monde le sache.

Mais: *I order Pierre to do it.*
J'ordonne à Pierre de le faire.

(Voir Diff. de trad. 1, p. 41.)

PARTIE B

18. Le subjonctif après certaines conjonctions

A. Certaines conjonctions exigent toujours le subjonctif:

> Nous viendrons **quoique (bien que)** nous **soyons** fatigués. (quoique, bien que—*although*)
>
> Ils sonnent **pour que** nous **ouvrions** la porte. (pour que — *so that*)
>
> Ouvrez la porte **afin qu'**elle **puisse** entrer. (afin que — *so that*)
>
> Personne ne le saura **pourvu que** vous vous **taisiez.** (pourvu que — *provided that*)
>
> Ils sont partis **sans que** nous le **sachions.** (sans que — *without*)
>
> Il marchera **jusqu'à ce qu'**il **soit** fatigué. (jusqu'à ce que — *until*)
>
> **Autant que** je **sache,** elle est partie. (autant que — *as far as*)
>
> **Non que** ce travail **soit** difficile, mais il est long. (non que — *not that*)
>
> **Soit qu'**elle **ait** sommeil, **soit qu'**il **soit** trop tard, elle refuse de nous accompagner. (soit que... soit que — *either because... or because*)

B. Après les conjonctions **à moins que, avant que, de crainte que, de peur que,** le subjonctif est précédé d'un **ne** explétif. (Toutefois, surtout dans la langue parlée, l'emploi de ce **ne** explétif est facultatif):

> Nous viendrons **à moins que** nous ne **soyons** fatigués. (à moins que — *unless*)
>
> Fermez la fenêtre **avant qu'**il[1] **ne** fasse trop chaud. (avant que — *before*)
>
> Téléphonons-lui **de crainte qu'**il **ne** soit déjà sorti.
>
> Téléphonons-lui **de peur qu'**il **ne** soit déjà sorti. (de crainte que, de peur que — *for fear that*)

C. Quand le sujet d'une proposition subjonctive introduite par une conjonction est le même que celui de la proposition principale, on doit remplacer ce subjonctif par une proposition infinitive (comparer à 15-F, p. 35). Pour cela, il faut remplacer la conjonction par la préposition qui lui correspond:

CORRESPONDANCE ENTRE LES CONJONCTIONS ET
LES PRÉPOSITIONS QUI LES REMPLACENT

CONJONCTIONS	PRÉPOSITIONS
avant que	avant de (*before*)
pour que	pour (*in order to*)
afin que	afin de (*in order to*)
à moins que	à moins de (*unless*)
sans que	sans (*without*)
de peur que	de peur de (*for fear that*)
de crainte que	de crainte de (*for fear that*)

Ouvrez la porte **afin que** votre frère **puisse** entrer.
Votre frère ouvre la porte **afin de pouvoir** entrer.

Il fait ses devoirs **avant que** ses parents ne **soient** partis.
Il a fait ses devoirs **avant de partir.**

Sans que nous nous en **rendions** compte le train est arrivé à Paris.
Nous sommes arrivés à Paris **sans** nous en **rendre** compte.

Si une conjonction n'a pas de préposition correspondante, on ne peut éviter le subjonctif. C'est le cas pour **bien que** et **quoique** :

Il travaille **bien qu'**il **ait** mal à la tête.
Il travaille **bien qu'**il **soit** malade.
Il lit, **quoiqu'il soit** fatigué.

On peut toutefois supprimer le verbe **être** après ces deux conjonctions :

Il travaille, **bien que** malade.
Il lit, **quoique** fatigué.

NOTES

[1] Remarquer que si la conjonction **avant que** exige le subjonctif, la conjonction **après que** exige l'indicatif :

Ils sont partis **avant que** nous ne **soyons** arrivés.
Ils sont partis **après que** nous **avons été** arrivés.

(Voir 11-B, p. 20.)

CINQUIÈME LEÇON

✣

PARTIE A

19. Le subjonctif dans les propositions relatives

A. Le mode d'une proposition relative est déterminé par son antécédent. Quand l'antécédent est indéfini, la proposition relative
est au subjonctif:

> Je cherche **quelqu'un** (une personne, un homme, un agent de police,
> etc.) qui **puisse** me renseigner.

Quelqu'un ici n'est pas une personne déterminée, mais n'importe
quelle personne, quel homme, quel agent de police capable de
donner le renseignement. Peut-être même qu'une telle personne
n'existe pas.

Si, par contre, l'antécédent est défini, la proposition relative
est à l'indicatif. Il n'y a aucun doute sur l'existence de cette
personne ou de cette chose:

> Je cherche une personne, dont on m'a parlé, qui **peut** me renseigner.
> Je cherche un homme qui **peut** me renseigner; il s'appelle Dupont.
> Je cherche quelqu'un, dont j'ai oublié le nom, qui **pourra** me renseigner.[1]

Examiner les exemples suivants:

> Connaissez-vous quelqu'un qui **sache** le latin?   (antécédent indéfini)
> Je ne connais personne qui **sache** le latin.   (antécédent indéfini)
> Je connais quelqu'un qui **sait** le latin.   (antécédent défini)
>
> Il voudrait un bureau qui **ait** deux tiroirs.   (antécédent indéfini)
> Il a un bureau qui **a** deux tiroirs.   (antécédent défini)

Voulez-vous une voiture qui **soit** économique? (antécédent indéfini)
Le public veut une voiture qui **soit** économique. (antécédent indéfini)
J'ai acheté une voiture qui **est** économique. (antécédent défini)
Je n'ai jamais rien mangé qui **soit** aussi bon. (antécédent indéfini)
J'ai mangé quelque chose qui **était** aussi bon. (antécédent défini)

On remarquera que l'antécédent d'une proposition relative à l'interrogatif ou au négatif est le plus souvent indéterminé, et donc exige le subjonctif. Cela se comprend, si l'on pense que l'interrogatif et le négatif introduisent souvent un certain doute quant à l'existence de l'antécédent.

B. Dans le cas d'une proposition relative dont l'antécédent est modifié par un superlatif ou par une expression à valeur superlative, telle que **le seul, le dernier, le premier, l'unique, il n'y a que,** il s'agit de savoir si le modificateur indique une attitude subjective de la part de celui qui parle. S'il exprime une opinion, un jugement, un choix, une émotion, le verbe sera au subjonctif. Si, au contraire, celui qui parle est parfaitement objectif, s'il postule une vérité, le verbe sera à l'indicatif. Comparer:

C'est le plus bel enfant que je **connaisse.** (Je connais beaucoup d'enfants, et je pense que c'est lui le plus beau.)
C'est le plus bel enfant que je **connais.** (Il y a un enfant qui est, objectivement, plus beau que les autres. C'est lui que je connais.)
Pierre est le premier qui m'**ait félicité.** (J'en ai été ému.) (Cela m'a étonné.)
Pierre est le premier qui m'**a félicité.** (Je constate simplement une réalité objective.)
Pierre a été le premier à me **féliciter.**

(Voir 15-F, p. 35.)

Il n'y a que lui qui **fasse** son travail (à mon avis) (malheureusement).
Il n'y a que lui qui **fait** son travail. (Cela est une vérité.)

En fait, dans la majorité des cas, les propositions relatives dont nous parlons sont au subjonctif. Lorsqu'elles exigent l'indicatif, le français a tendance à les éviter. Aux propositions à l'indicatif ci-dessus, le français préfère:

Je connais le plus bel enfant (l'enfant le plus beau).
Pierre m'a félicité le premier.
Lui seul fait son travail.

NOTES

[1] Il est évident que celui qui parle sait d'avance si l'antécédent est déterminé ou non. Mais celui qui écoute ne le saura que lorsqu'il aura entendu le verbe.

---

20. Le subjonctif après *quelque ... que, quel ... que, qui que*, etc. ...

A. **Quelque** peut être un adverbe (et donc invariable) qualifiant un adjectif. **Quelque** peut aussi être un adjectif (et donc variable: **quelque, quelques**) placé devant le nom qu'il modifie. Dans les deux cas, **quelque** exige le subjonctif:

1. **Quelque** (adverbe):

> **Quelque** jolie qu'elle **soit**, elle ne me plaît pas.
> *However pretty she may be ...*

Dans ce sens, **quelque** peut être remplacé par **si, tout** ou **pour**. Le verbe reste au subjonctif:

> **Si**
> **Tout** } intelligent qu'il **soit**, il n'a pas compris.
> **Pour**
>
> *However intelligent he may be ...*

2. **Quelque** (adjectif):

> **Quelque** difficulté (chagrin) que vous **ayez**, persévérez!
> *Whatever difficulty (sorrow) you may have ...*
>
> **Quelques** difficultés (chagrins) qu'elle **ait**, elle persévérera.
> *Whatever difficulties (sorrows) she may have ...*

B. **Quel que** (**quels que, quelle que, quelles que**) est un adjectif en position prédicative, c'est-à-dire séparé par le verbe du nom qu'il modifie. Cet adjectif exige le subjonctif:

> **Quel que soit** votre chagrin, ⎫
> **Quels que soient** vos chagrins, ⎬ continuez!
> **Quelle que soit** la difficulté, ⎪
> **Quelles que soient** les difficultés, ⎭

> *Whatever* ⎧ *your sorrow* ⎫
> ⎪ *your sorrows* ⎪ *may be . . .*
> ⎨ *the difficulty* ⎬
> ⎩ *the difficulties* ⎭

C. Les expressions **qui que, quoi que, où que, de quelque manière que** exigent le subjonctif:

> **Qui que** vous **soyez**, je ne vous connais pas.
> *Whoever you are . . .*
> **Quoi qu**'il **fasse**, il le fait bien.
> *Whatever he does . . .*
> **Où que** vous **alliez**, écrivez-moi.
> *Wherever you go . . .*
> **De quelque manière que** vous le **fassiez**, ce sera bien fait.
> *However you do it . . ., in whatever way you do it . . .*

D. Les expressions **qui que ce soit qui** et **qui que ce soit que** exigent le subjonctif:

> **Qui que ce soit qui ait fait** cela, je le punirai.
> *Whoever did that . . .*
> **Qui que ce soit que** vous **connaissiez**, je veux le connaître aussi.
> *Whomsoever you know . . .*

DIFFICULTÉS DE TRADUCTION

1. On remarquera que les expressions examinées au No. 20, qui exigent toutes le subjonctif, se traduisent par un mot anglais terminé par le suffixe — *ever*. Mais, inversement, les pronoms et adverbes anglais terminés par ce suffixe n'exigent pas toujours un subjonctif en français. Ainsi:

a. **Whoever** comme sujet du verbe *to be* (voir 20-D, p. 48), peut aussi se traduire par **quiconque + indicatif, celui qui + indicatif**, et quelquefois par **qui + indicatif**:

> **Quiconque a fait** cela, je le punirai.
> Je punirai **celui qui a fait** cela.
> **Qui fait** cela fait une mauvaise action.

b. Quand *whatever* suit le mot qu'il modifie, on le traduit par **n'importe**:

> *Give him any job (whatever).*
> Donnez-lui **n'importe quel** travail.
>
> *I shall see anyone (whatever).*
> Je verrai **n'importe qui.**
>
> *Anyone (whatever) can see me.*
> **N'importe qui** peut me voir.
>
> *He will do anything (whatever) to succeed.*
> Il fera **n'importe quoi** pour réussir.

c. **Whenever** se traduit par **toutes les fois que + indicatif** ou par **lorsque + indicatif**:

> *Whenever I see him he is happy.*
> **Toutes les fois que** je le **vois** il est heureux.
> *Whenever you see him, be careful.*
> **Lorsque** vous le **verrez**, faites attention.

d. **However much** comme adverbe de degré se traduit souvent par **avoir beau + infinitif**:

> *However much you laugh, I shall do it.*
> Vous **avez beau** rire, je le ferai.
>
> *However much I write, he doesn't answer.*
> **J'ai beau** écrire, il ne répond pas.

PARTIE B

21. Concordance des temps au subjonctif

A. La question de la concordance des temps au subjonctif est très compliquée. Grâce au subjonctif, on peut exprimer des nuances parfois très subtiles; il n'est pas nécessaire de les indiquer toutes ici. Des quatre temps du subjonctif, deux ne sont pratiquement jamais employés dans la conversation: l'imparfait et le plus-que-parfait. Même dans la langue littéraire, les auteurs modernes ont tendance à les éviter. Au subjonctif, l'imparfait est généralement remplacé par le présent, et le plus-que-parfait par le passé. Il est cependant indispensable de savoir au moins reconnaître ces deux temps aujourd'hui en décadence, que l'on rencontre souvent chez les écrivains classiques. Leurs emplois les plus fréquents sont indiqués ci-dessous entre parenthèses.

B. Concordance des temps dans les propositions subordonnées substantives (voir 17, p. 37), dans les propositions relatives (voir 19, p. 45), et après les expressions **qui que**, **quelque** etc. (voir 20, p. 47). Le tableau ci-dessous résume les cas les plus fréquents:

	Verbe principal au présent de l'indicatif ou au futur de l'indicatif	Verbe principal à un temps passé de l'indicatif, ou au conditionnel
Action subordonnée simultanée ou postérieure à l'action principale	**Présent du subjonctif**	**Présent (imparfait) du subjonctif**
Action subordonnée antérieure à l'action principale	**Passé du subjonctif**	**Passé (plus-que-parfait) du subjonctif**

1. Avec une principale au présent ou au futur de l'indicatif:

    a. Si l'action subordonnée est simultanée ou postérieure à l'action principale, la subordonnée est au présent du subjonctif:

        J'ordonnerai qu'il **vienne.**
        *I shall order that he **come** (immediately or later).*

        Je doute qu'il **vienne.**
        *I doubt that he **is coming** (**will come**).*

        Connaissez-vous quelqu'un qui **soit** capable de le faire?
        *Do you know someone who **can** (**will be able to**) do it?*

        Trouverez-vous quelqu'un qui **soit** capable de le faire?
        *Will you find someone who **will be able** to do it (immediately or later)?*

        Il continue quelle que **soit** sa fatigue.
        *He goes on, however tired he **is**.*

        Il continuera quelle que **soit** sa fatigue.
        *He will go on, however tired he **is** (**will be**).*

    b. Si l'action subordonnée est antérieure à l'action principale, la subordonnée est au passé du subjonctif:

        Je doute (douterai) qu'il **soit venu.**
        *I doubt (shall doubt) that he **came** (**has come**).*

        Je regrette (regretterai) qu'il **ait oublié.**
        *I regret (shall regret) that he **forgot** (**has forgotten**).*

        Elle est laide à présent (sera bientôt laide), quelque jolie qu'elle **ait été.**
        *She is now (will soon be) ugly, however pretty she **may have been**.*

2. Avec une principale à un temps passé de l'indicatif (nous choisissons l'imparfait pour les exemples qui suivent) ou au conditionnel:

    a. Si l'action subordonnée est simultanée ou postérieure à l'action principale, la subordonnée est au présent (imparfait) du subjonctif:

Je voulais qu'il **vienne (vînt)**.
I wanted him to come (immediately or later).

Je voudrais qu'il **vienne (vînt)**.
I would like him to come (immediately or later).

J'aurais voulu qu'il **vienne (vînt)**.
I would have liked him to come (then or later).

Je cherchais quelqu'un qui **puisse (pût)** le **faire**.
I was looking for someone who could do it (then or later).

Il continuait quelle que **soit (fût)** sa fatigue.
He went on, however tired he might have been.

Il aurait réussi où que ce **soit (fût)**.
He would have succeeded (then or later) wherever it might be.

b. Si l'action subordonnée est antérieure à l'action principale, la subordonnée est au passé (plus-que-parfait) du subjonctif:

Je regrettais qu'il ne **soit (fût)** pas **venu**.
I regretted that he had not come.

Je regretterais qu'il ne **soit (fût)** pas **venu**.
I would regret that he did not come.

J'aurais regretté qu'il ne **soit (fût)** pas venu.
I would have regretted that he did not come.

Je cherchais quelqu'un qui **ait (eût) connu** ma sœur.
I was looking for someone who might have known my sister.

Il l'aurait retrouvée où qu'elle se **soit (fût) cachée**.
He would have found her wherever she might have hidden.

Pour réussir, il aurait fallu que vous **ayez (eussiez) travaillé**.
In order to succeed, it would have been necessary for you to work.

C. Concordance des temps dans les propositions subordonnées introduites par une conjonction exigeant le subjonctif. (Voir 18, p. 43):

1. Quand le verbe de la principale est au présent ou au futur de l'indicatif, ou au conditionnel présent, les règles indiquées à 21-B s'appliquent:

Je vais au cinéma quoique le film **soit** mauvais.
*I am going to the movies, although the film **is** bad.*

Je n'irai pas au cinéma bien que ma sœur **veuille** y aller.
*I am not going to the movies, although my sister **wants** to go.*

Je devrais le lui écrire pour qu'elle le **sache (sût)**.
*I should write it to her, so that she **may know** it.*

Je vais au cinéma bien que le film n'**ait** pas **reçu** une bonne critique.
*I am going to the movies, although the film **did** not **receive** a good review.*

J'irai au cinéma quoique le film n'**ait** pas **reçu** une bonne critique.
*I shall go to the movies, although the film **did** not **receive** a good review.*

2. Quand le verbe de la proposition principale est à un temps passé de l'indicatif, ou au passé du conditionnel:

a. Avec les conjonctions **afin que**, **pour que**, **de crainte que**, **de peur que**, la subordonnée est au présent (imparfait) du subjonctif. Si, cependant, il est nécessaire d'indiquer que l'action de la subordonnée est antérieure à l'action principale, il faut employer le passé (plus-que-parfait) du subjonctif:

Il expliquait afin (pour) qu'elle **comprenne. (comprît).**
*He explained, so that she **might understand** (immediately or later).*

Il expliquait encore de crainte (de peur) qu'elle n'**ait (eût)** pas encore **compris.**
*He kept explaining for fear that she **might** not **have understood** yet.*

b. Avec les autres conjonctions, le verbe est généralement au passé (plus-que-parfait) du subjonctif.

Il expliquait bien qu'elle **ait (eût)** déjà **compris.**
*He explained although she **had** already **understood.***

Non que ce travail **ait (eût) été** difficile, mais Pierre était paresseux.
*Not that this work **was** difficult, but Pierre was lazy.*

DIFFICULTÉS DE TRADUCTION

1. Avant de traduire une phrase anglaise en employant un sub-jonctif français, il faut s'assurer que le français exige (ou tout du moins permet) un subjonctif. Une fois certain, il faut décider quel verbe mettre au subjonctif. Cela n'est pas toujours évident:

I am afraid he will not come.

Si le contexte implique simplement le futur, c'est le verbe *to come* qui sera au subjonctif. Si le contexte implique une volonté, c'est le verbe *will* (*to want*) qui sera au subjonctif. La phrase a donc deux traductions possibles, et seul le contexte permet de savoir laquelle est juste:

J'ai peur qu'il ne **vienne** pas.
J'ai peur qu'il ne **veuille** pas venir.

De même la phrase: *I am afraid he may not come*, peut indiquer la possibilité ou la défense:

J'ai peur qu'il ne **vienne** (peut-être) pas.   (possibilité)
J'ai peur qu'il ne **puisse** pas venir.   (défense)

De même la phrase: *It is fitting that he should do this*, peut indiquer le jugement ou l'obligation:

Il est convenable qu'il le **fasse**.   (jugement)
Il est convenable qu'il **doive** le **faire**.   (obligation)

2. Une fois l'usage du subjonctif décidé, il faut s'assurer de la chronologie qui existe entre la proposition principale et la proposition subordonnée. C'est alors que l'on peut savoir si la subordonnée doit être au présent ou au passé du subjonctif.

3. On remarquera qu'au subjonctif le style de la conversation n'a pas de plus-que-parfait, et utilise le passé. Le passé traduit donc le *pluperfect* anglais:

He worked although he had not slept.
Il a travaillé bien qu'il n'**ait** pas **dormi**.

SIXIÈME LEÇON

PARTIE A

22. L'infinitif

A. Dans certains cas, l'infinitif peut avoir la fonction d'un nom:

> **Mentir** est un grave défaut.   (sujet)
> Je ne veux pas **parler**.   (complément d'objet)

L'infinitif a formé d'ailleurs un certain nombre de noms:

> Pour cent francs, la pension fournit le **coucher**, le **boire** et le **manger**.

B. L'infinitif s'emploie parfois comme impératif. (Voir 2-F, p. 5.)

C. Quand l'infinitif dépend d'un autre verbe, il peut être introduit soit par la préposition **à**, soit par la préposition **de**, soit n'exiger aucune préposition introductive, selon le verbe dont il dépend.[1] (L'appendice I, pp. 171–172, donne la liste des principaux verbes de chaque catégorie.):

> Je désire
> Je sais
> Je commence **à**
> J'apprends **à**   } gagner de l'argent.
> Je cesse **de**
> Je vous conseille **de**

D. Quand un infinitif dépend d'un nom ou d'un adjectif, il est introduit par **à** ou par **de**. Il n'existe pas de règle absolue qui permette de savoir dans quel cas il faut employer **à** et dans quel cas **de**. On peut cependant remarquer que, d'une manière générale:

1. De introduit un infinitif:

    a. Après une expression (contenant un adjectif ou un nom) qui indique le sentiment, l'émotion ou l'opinion:

        Je suis (content, heureux, malheureux, satisfait, ravi, etc.) **de** partir.

        J'ai (envie, honte, peur, besoin, l'intention, le malheur, la chance, la joie, etc.) **de** partir.

        Vous feriez (bien, mal) **de** rester.

        Vous auriez (tort, raison) **d'**insister.

    b. Après **il** (impersonnel) + **être** + **adjectif.** (Voir Note[2], p. 105):

        Il est (juste, désirable, nécessaire, normal, etc.) **d'**aimer ses parents.

        Il serait (facile, regrettable, grave, dangereux, etc.) **de** ne pas lui obéir.

2. A introduit un infinitif qui exprime le but ou le dessein, la tendance ou le résultat. Souvent **à** prend ici le sens de **pour**:

    a. **A** introduit l'infinitif qui indique la fonction du nom qui le précède:

        une machine **à** (écrire, laver, coudre, etc.)
        un fer **à** repasser
        une maison **à** (louer, vendre)
        une chambre **à** coucher
        une salle **à** manger
        un homme **à** tout faire

    b. **A** introduit un infinitif qui indique quel est (ou quel peut être) le résultat du nom qui le précède:

        un problème **à** rendre fou
        une chaleur **à** en mourir
        un bruit **à** casser les vitres

un froid **à** fendre les pierres
des cris **à** rendre sourd
des pleurs **à** faire pitié

c. Après un adjectif, **à** introduit un infinitif qui indique pour quelle action l'adjectif s'applique:

facile ⎤
difficile ⎬ **à faire**
aisé ⎟
etc. ⎦

bon ⎤
mauvais ⎬ **à manger**
agréable ⎟
etc. ⎦

léger ⎤
lourd ⎬ **à porter**
commode ⎟
etc. ⎦

d. **A** introduit un infinitif qui indique quel est (ou quel peut être) le résultat de l'adjectif:

une fille laide **à** faire peur
une chanson triste **à** en pleurer
(Comparer à *b*.)

e. **A** introduit un infinitif après **seul, dernier** ou un nombre ordinal:

Elle a été ⎰la seule ⎱ **à** arriver.
⎰la dernière⎱

Vous êtes ⎰le premier ⎱ **à** partir.
⎨le cinquième⎬
⎩etc. ⎭

f. **A** introduit un infinitif après un certain nombre d'expressions indiquant la durée (de temps) et la position (du corps). **A + infinitif** sert à décrire ce que le sujet fait pendant cette durée ou dans cette position:

Je passe mon temps **à** travailler. (durée)
Je suis debout **à** travailler. (position)
J'ai mis longtemps **à** comprendre. (durée)
Elle reste assise **à** écrire. (position)

E. Une proposition infinitive peut souvent remplacer une proposition subordonnée à l'indicatif (voir 15-F, p. 35) ou au subjonctif (voir 18-C, p. 43).

NOTES

[1] Certains verbes peuvent introduire un infinitif de plus d'une façon. La signification est alors différente pour chaque cas:

Il dit comprendre.	*He says he understands.*
Il dit **de** venir.	*He says to come. (order)*
Il vient écouter.	*He comes to listen.*
Il vient **d'**écouter.	*He has just listened.*
Il vient **à** écouter.	*He happens to listen.*
Je pense écrire.	*I intend to write.*
Je pense **à** écrire.	*I think about writing.*
Il décide **de** partir.	*He decides to leave.*
Il décide son frère **à** partir.	*He persuades his brother to leave.*
Il me demande **de** partir.	*He asks me to leave.*
Il demande **à** partir.	{ *He asks permission to leave.* / *He demands to leave.* }

Certains verbes peuvent introduire un infinitif de plus d'une façon sans changement de signification. La forme la plus usuelle est donnée ici en premier:

Il commence **à** (**de**) chanter.
Elle recommence **à** (**de**) chanter.
Nous aimons — (**à**) lire.

except w. verbs of mot

DIFFICULTÉS DE TRADUCTION

1. Lorsque *to + infinitive* peut être remplacé par *in order to + infinitive*, on le traduit par **pour + infinitif**:

   I shall need three days to (in order to) finish this work.
   Il me faudra (J'aurai besoin de) trois jours **pour** finir ce travail.

   To succeed, one must work.
   Pour réussir il faut (on doit) travailler.

Toutes les prépositions (sauf **en**, voir 23-C, p. 60) gouvernent l'infinitif en français, et non pas le *present participle* comme en anglais:

*He came **without warning** us.*
Il est venu **sans** nous **prévenir**.
*We played **instead of working**.*
Nous avons joué **au lieu de travailler**.

Noter que la préposition *before*, quand elle introduit un infinitif, se traduit par **avant de** :

*They worked **before playing**.*
Ils ont travaillé **avant de** jouer.
***Before** leaving, you will say good-bye.*
Avant de partir, vous direz au revoir.

Noter que la préposition **après** introduit toujours l'infinitif passé :

Après **avoir travaillé**, ils ont joué.
*After **working** (**having worked**) they played.*
Il est venu après nous **avoir prévenus**.
*He came after **warning** (**having warned**) us.*
Nous nous sommes reposés après **être arrivés**.
*We rested after **arriving** (**having arrived**).*

PARTIE B

23. Le participe présent

A. Le participe présent a formé un certain nombre de noms:[1]

le passant (*the passer-by*)	le perdant (*the loser*)
les vivants (*the living*)	le revenant (*the ghost*)
le gagnant (*the winner*)	le débutant (*the beginner*)

B. Le participe présent a formé une série d'adjectifs[1] qui, bien entendu, s'accordent avec le nom qu'ils modifient. Ces adjectifs suivent généralement le nom:

> Ces enfants sont **charmants**. (verbe **charmer**)
> Voilà des nouvelles **surprenantes**. (verbe **surprendre**)
> Il est parti sous une pluie **battante**. (verbe **battre**)
> Mon chien est **obéissant**. (verbe **obéir**)

C. Le participe présent peut se trouver soit seul, soit introduit par la préposition **en**. On sait que cette préposition est la seule à pouvoir introduire le participe présent. (Voir Diff. de trad. 1, p. 58):

> Je lui ai téléphoné, **espérant** qu'il serait à la maison.
> J'ai rencontré Pierre **en allant** à la bibliothèque.

1. Le participe présent seul:

a. Exprime en général une action simultanée à celle qu'exprime le verbe principal.

> Les soldats, **attaquant** à la baïonnette, gagnent (ont gagné, gagneront) la bataille.

b. Peut exprimer une action immédiatement antérieure à celle du verbe principal:

> **Arrivant** dans la rue, il appela un taxi.
> **Entrant** dans un café, il téléphona à un ami.

c. A une valeur causale ou explicative:

> Ne **sachant** où aller, je suis resté chez moi.
> Il s'ennuyait, n'**ayant** rien à faire.

d. Sous sa forme composée, exprime une action antérieure à celle qu'exprime le verbe principal:

$$\textbf{Ayant travaillé,} \begin{cases} \text{il a reçu} \\ \text{il reçoit} \\ \text{il recevra} \end{cases} \text{une bonne note.}$$

2. On appelle souvent le participe présent introduit par **en** le gérondif:

a. Il joue, par rapport au verbe principal, le rôle de complément circonstanciel; c'est-à-dire qu'il indique les circonstances dans lesquelles se produit, s'est produite, ou se produira l'action principale. Le gérondif répond à la question **comment**: *[adv of manner - time]*

> Il a gagné sa fortune **en travaillant**. (Comment l'a-t-il gagnée?)
> Nous avons réussi **en travaillant**. (Comment avons-nous réussi?)
> Il marche dans la rue **en chantant**. (Comment marche-t-il?)
> Vous réussirez **en travaillant**. (Comment réussirez-vous?)

b. Lorsqu'on veut insister sur la simultanéité du gérondif et du verbe principal, on emploie l'adverbe **tout**. Cela se produira surtout lorsque les deux actions ne sont pas de celles qui sont normalement simultanées:

> Il marche **en chantant**. (Il est relativement normal de marcher en chantant.)

Mais: *[tout - idea of contrast]*

> **Tout en marchant**, il comptait les voitures qui passaient. (Il est rare que l'on marche en comptant des voitures.)

c. L'expression **tout en + participe présent** a donc une valeur de concession, c'est-à-dire que l'action principale et l'action du participe présent sont en quelque sorte contradictoires:

Tout en étant furieux, je vous pardonne.
Tout en étant cruel, cet homme aimait les enfants.

NOTES

[1] Plusieurs verbes font une distinction orthographique entre leur participe présent et l'adjectif (ou le nom) que ce participe présent a formé :

VERBE	PARTICIPE PRÉSENT	ADJECTIF
adhérer	adhérant	adhérent
fatiguer	fatiguant	fatigant
intriguer	intriguant	intrigant
exceller	excellant	excellent
savoir	sachant	savant
etc.		
fleurir	*fleurissant*	*florissant.*

DIFFICULTÉS DE TRADUCTION

1. Les formes anglaises en **-ing** sont très fréquentes et d'un usage varié. Elles se traduisent quelquefois par le participe présent, quelquefois par une autre construction. Voici par exemple comment le français traduit quelques-uns des nombreux emplois du *gerund* et du ***present participle*** anglais :

   a. Comme **subject** ou **predicate complement**, le *gerund* se traduit généralement par l'infinitif :

   > *Seeing is believing.*   **Voir**, c'est **croire**.

   (Voir 22-A, p. 55.)

   b. Comme **object** d'un verbe, le *gerund* se traduit par l'infinitif :

   > *I like **hunting** and **fishing**.*   J'aime **chasser** et **pêcher**.

   ou par un nom :

   > *I like **hunting** and **fishing**.*   J'aime la **chasse** et la **pêche**.

c. Une **adverbial clause** contenant un **present participle** se traduit généralement par un gérondif français. (Voir 23-C-2-*a*, p. 61):

> *He earned his fortune by working.*
> Il a gagné sa fortune **en travaillant**.
> *He sings while working.*
> Il chante **en travaillant**.

Mais, après toute préposition autre que **en**, il faut employer l'infinitif. (Voir Diff. de trad. 1, p. 58.)

d. Si le verbe principal et le **gerund** ont des sujets différents, le **gerund** se traduit généralement par une préposition à l'indicatif ou au subjonctif:

> *His sickness is due to his eating too much.*
> Sa maladie vient de ce qu'il **mange** trop.
> *He works without anyone knowing it.*
> Il travaille sans qu'on le **sache**.

e. Le **gerund** adjectival dans les noms composés se traduit par **à** + **infinitif** ou par **de** + **nom**:

> *a sewing machine*   *a singing group*
> une machine **à coudre**   un groupe **de chant**

SEPTIÈME LEÇON

PARTIE A

24. Les verbes impersonnels

Le sujet des verbes impersonnels est toujours le pronom impersonnel **il**. Ce pronom n'a pas d'antécédent, car un verbe impersonnel n'a pas de sujet réel. On peut diviser les verbes impersonnels en deux catégories générales:

1. Les verbes qui indiquent un phénomène naturel se rapportant à la température ou à la météorologie. Les principaux sont:

il
{
pleut
neige
tonne
gèle
dégèle
grêle
}

il fait
{
chaud   mauvais
froid   du vent
humide   du soleil
frais   du brouillard
sec   de l'orage
beau   etc.
}

2. Certains verbes et locutions qui, à la forme impersonnelle, ont un sens spécial. Les principaux sont:

a. **Il y a**, qui indique l'existence du complément d'objet d'**avoir**.[1] Dans un sens temporel, cette expression indique la durée de temps. (Voir 1-D, p. 2):

Il y a trois garçons dans cette chambre.
Il y a trois heures que j'attends.
Il n'**y avait** pas plus de vingt personnes au cinéma.
Il y aura demain un an que j'ai quitté la France.

b. **Il faut**, qui exprime la nécessité, l'obligation, le besoin :

Il faut qu'il sache sa leçon pour avoir une bonne note.
Il faut aimer ses parents.
Avant de partir **il faudra** que nous mangions.
Il me **faut** un nouveau chapeau.

On remarquera que le verbe **falloir** est toujours impersonnel, et ne peut se conjuguer qu'avec **il** impersonnel.[2]

c. **Il est**, qui s'emploie dans un sens temporel :

Il est deux heures.
Il sera tard quand nous partirons.
Il était temps de manger.

Il impersonnel, comme sujet apparent du verbe **être** suivi d'un adjectif, s'emploie lorsque le sujet réel est une proposition qui joue le rôle de complément d'objet, ou une proposition infinitive introduit par **de** :

Il (sujet apparent) est certain **que vous avez travaillé** (sujet réel).
Il est possible **que nous achetions ce livre**.
Il est difficile de **finir ce travail aujourd'hui**.
Il était important d'**arriver à l'heure**.

(Voir Note[2], p. 105.)

d. **Il va de soi**, qui indique l'évidence :

Il va de soi que vous réussirez.

It is evident that
Of course
Obviously ⎬ *you will succeed.*
It goes without saying that
It is obvious that

e. **Il s'agit de**, qui introduit ce dont il est question :

De quoi **s'agit-il** ?
What is the question?
What is it all about?

Il s'agit de mon oncle.
It is about my uncle.

Il s'agit de sortir sans être vu.
The question is to come out without being seen.

f. **Il arrive**, qui indique ce qui a lieu:

> Qu'**arrive-t-il**?
> *What happens? What is going on?*
>
> **Il arrive** qu'elle soit de mauvaise humeur.
> *It sometimes happens that she is in a bad mood.*
>
> **Il** peut **arriver** qu'un accident soit mortel.
> *It can happen that an accident be fatal.*

g. **Il convient**, qui indique ce qui est utile ou à propos:

> **Il convient** que vous ne soyez pas en retard.
> *It would be fitting (useful, proper) for you not to be late.*
>
> Que **convient-il** de faire?
> *What should be done (one do)?*
>
> Pour réussir, **il convient** de travailler.
> *In order to succeed, it is useful to work.*

h. Comme on le voit, certaines de ces expressions peuvent introduire une proposition infinitive. (Voir 17-D, p. 39):

> **Il faut aimer** ses parents.
> **Il est facile** (difficile, important, urgent, etc.) d'**acheter** cela.
> **Il s'agit de sortir** sans être vu.
> **Il convient de travailler** pour réussir.

i. Certaines de ces expressions peuvent avoir un complément d'objet indirect. A la première et à la deuxième personne (singulier et pluriel), ce complément sera un pronom. A la troisième personne, ce sera soit le pronom, soit le nom introduit par **à**:

> Il **me** faut de l'argent.
> Il faut de l'argent **à Pierre**.
> Il **lui** faut de l'argent.
>
> Il **t'**est difficile de lire.
> Il est difficile **à Marie** de lire.
> Il **lui** est difficile de lire.
>
> Il **nous** arrive un malheur.
> Il arrive un malheur **aux Dupont**.
> Il **leur** arrive un malheur.

Il **vous** convient de partir.
Il convient **au ministre** de partir.
Il **lui** convient de partir.

NOTES

[1] Dans la langue écrite, on trouve parfois **il est** pour **il y a** indiquant l'existence du complément d'objet; cet usage est fréquent en poésie:

> **Il est (il y a)** des hommes qui ne savent pas mentir.
> *There are men who cannot lie.*
>
> **Il était (il y avait)** une fois une jeune fille . . .
> *Once upon a time there was a girl . . .*

[2] Il y a deux façons principales d'exprimer l'obligation ou la nécessité en français: le verbe impersonnel **falloir** et le verbe **devoir**:

> Il **faut** travailler pour réussir.
> On **doit** travailler pour réussir.
>
> Il nous **faudra** travailler pour réussir.
> Nous **devrons** travailler pour réussir.
>
> Il **aurait fallu** que vous travailliez pour réussir.
> Vous **auriez dû** travailler pour réussir.

Ces deux façons d'exprimer l'obligation ou la nécessité sont pratiquement équivalentes. Le français a tendance à préférer le verbe **devoir** dans les temps composés, simplement parce qu'il est plus facile de dire: **J'aurais dû travailler** que: **Il aurait fallu que je travaille.**

PARTIE B

25. Les verbes *devoir, pouvoir, savoir, faire*

Ces verbes présentent des difficultés pour l'étudiant de langue anglaise. Leurs principaux emplois sont étudiés ci-dessous.

A. Le verbe **devoir**:

1. Comme verbe principal, le verbe **devoir** se traduit en anglais par *to owe*:

> Je **dois** cent francs à Pierre.
> *I owe Pierre one hundred francs.*
>
> Vous lui **devez** la vie.
> *You owe him your life.*

2. Comme verbe auxiliaire suivi d'un infinitif, le verbe **devoir** indique:

    a. La nécessité ou l'obligation. Dans ce cas, il s'emploie surtout au présent, au futur et au passé composé:

Il **doit** travailler pour réussir.
*He must (**has to, is obliged to, it is necessary for him to**) work in order to succeed.*

Je **devrai** travailler pour réussir.
*I shall have to (**be obliged to**, etc.)...*

Elle **a dû** travailler pour réussir.
*She has had to (**was obliged to**, etc.)...*

    b. L'intention. Dans ce cas, il s'emploie surtout au présent et à l'imparfait:

> Je **dois** partir demain.
> *I am supposed to (scheduled to) leave tomorrow.*
>
> Elle **devait** partir pour l'Europe.
> *She was supposed to (scheduled to) leave for Europe.*

    c. La probabilité ou la supposition. Dans ce cas, il s'emploie surtout au présent, au passé composé et à l'imparfait:

Can be used independently.
Modal verb sense is completed w. an infinitive.

Pierre **doit** être malade.
*Pierre **must be** (**is probably**) sick.*
I suppose Pierre is sick.

Il **a dû** trop manger.
*He **must have** eaten (**probably** ate) too much.*
I suppose he ate too much.

Le dîner **devait** être bon.
*Supper was **probably** good.*
I suppose supper was good.

- obligat.
  necessity
- intent.

d. Un futur indéterminé. Dans ce cas, il s'emploie surtout au présent, au futur et à l'imparfait. (Voir 3-F, p. 6):

> Il **doit** (**devra**) partir bientôt.
> *He **is to** leave soon.*
>
> Nous **devions** partir une semaine plus tard.
> *We **were to** leave a week later.*

e. Un conseil. Dans ce cas, il s'emploie au présent du conditionnel. (Voir Diff. de trad. 2, p. 12):

> Vous **devriez** travailler.
> *You **should** (**ought to**) work.*

f. Un reproche. Dans ce cas, il s'emploie surtout au passé du conditionnel:

> Vous **auriez dû** travailler.
> *You **should have** (**ought to have**) worked.*

g. On remarquera que le verbe semi-auxiliaire **devoir** peut se traduire en anglais de plusieurs façons différentes. Seul le contexte permet de savoir quelle nuance exprime ce verbe dans la phrase française. Une fois déterminée la nuance, il sera facile de choisir une expression anglaise qui la traduise.

B. Le verbe **pouvoir**:

Le verbe semi-auxiliaire **pouvoir** suivi d'un infinitif indique la possibilité, la faculté, la puissance de faire quelque chose. Il se traduit donc selon le cas pas les verbes ***can-could*** et ***may-might*** ou par une expression correspondante telle que ***to be able to***:

Je **peux** sortir avec vous.
I may (can, am able to) go out with you.

Seul un médecin **peut** vous guérir.
Only a doctor can cure you.

Le roi **peut** faire ce qu'il veut.
The king can do what he wants.

Puis-je entrer?
May I come in?

Pourrons-nous le faire?
Shall we be able to do it?

C. Le verbe **savoir**:

1. Il ne faut pas confondre **savoir** et **connaître**. **Savoir** implique une connaissance intégrale. **Connaître** implique une connaissance partielle. On peut dire d'un dilettante: "Il **connaît** tout, mais ne **sait** rien." Généralement, une personne dira qu'elle **sait** sa langue maternelle et qu'elle **connaît** une langue étrangère.

On dit que l'on **connaît** une personne, un endroit:

Je **connais** Pierre (son frère, cet homme, le docteur Dupont, etc.).
Je **connais** Paris (la France, ce château, cette rue, votre maison, etc.).

On dit que l'on **sait** faire quelque chose:

Je **sais** lire (conduire une auto, jouer au football, danser, etc.).

On dit que l'on **sait** un fait:

Je **sais** que vous êtes honnête (quelle est la population de la France, combien font sept fois huit, ce que je veux, etc.).

On dit:

Je **connais** ce poème.
Mais: Je **sais** ce poème par cœur.

Dans beaucoup de cas, les deux verbes sont possibles, le verbe **savoir** étant toujours plus catégorique que le verbe **connaître**:

Je **sais** (**connais**) la réponse.

Il **sait** (**connaît**) le meilleure façon de réussir.

Nous **savons** (**connaissons**) un chemin plus court.

2. Il ne faut pas confondre **savoir** et **pouvoir**. **Savoir** implique la connaissance intellectuelle d'une technique, **pouvoir**, la capacité d'agir. Ainsi:

Il ne **peut** pas traverser le lac parce qu'il ne **sait** pas nager.

Il ne **sait** pas nager parce qu'il n'a jamais appris.

Il ne **peut** pas nager cet été parce qu'il s'est cassé le bras (parce que ses parents le lui défendent, parce que le courant est trop fort, etc.).

3. Il ne faut pas confondre **pouvoir** et **avoir le droit de**; cette dernière forme est plus formelle:

—**Puis**-je conduire en France sans permis?

—Non, on n'**en** a pas **le droit**.   ✓ legal right - avoir le droit.

D. Le verbe **faire** causatif:

1. Quand le verbe **faire** introduit un infinitif, cela implique que le sujet n'agit pas par lui-même mais plutôt qu'il provoque l'action. L'action proprement dite est donc exécutée par quelqu'un d'autre, qui peut d'ailleurs ne pas être mentionné:

Je **fais** réparer ma voiture. (Ce n'est pas moi qui répare; je me borne à provoquer l'action de réparer, qui sera exécutée par quelqu'un d'autre, un mécanicien, par exemple.)

Il fait danser
le jack à la
jeune fille

Avez-vous **fait** chanter les enfants?

Did you have (make) the children sing?

Il est facile de **faire** faire ce travail.

It is easy to have this work done.

Faites-lui raconter son voyage.

Son intelligence l'a **fait** réussir.

2. Si l'infinitif n'a pas de complément d'objet, la personne ou la chose qui exécute l'action est un objet direct. Si c'est un nom, il suivra l'infinitif. Si c'est un pronom, il précédera **faire**:

Son intelligence a fait réussir **Pierre**.

Son intelligence l'**a** fait réussir.

3. Si l'infinitif a un complément d'objet, ce complément d'objet sera direct. La personne ou la chose qui exécute l'action sera alors un complément d'objet indirect. Tous les pronoms compléments d'objet précéderont **faire**:

> Faites raconter à **Pierre** son voyage.
> Faites-**le** raconter à **Pierre**.
> Faites-le-**lui** raconter.

4. Pour éviter une ambiguïté possible, la personne ou la chose qui exécute l'action peut être introduite par **par** au lieu de **à**:

> Il **fait** chanter une chanson **à** Pierre.
> *He has Pierre **sing** a song.*
> *He has a song **sung** to Pierre.*
>
> Il **fait** chanter une chanson **par** Pierre.
> *He has Pierre **sing** a song.*

5. On peut employer le pronom réfléchi avec le verbe **faire** causatif:

> Je **me** suis fait faire un costume.
> *I had a suit made **for myself**.*
>
> **Vous** êtes-**vous** fait faire la barbe?
> *Did **you** have **yourself** shaved?*

6. Le participe passé du verbe **faire** est invariable quand ce verbe est causatif. (Voir 13-G, p. 25):

> Elle s'est **fait** respecter.

HUITIÈME LEÇON

PARTIE A

26. L'article défini

A. Devant un mot commençant par une voyelle ou une **h** muette, les articles définis **le** et **la** présentent la forme élidée **l'** :

l'ami   l'enfant   l'énorme chambre   l'hôpital
l'amie   l'odeur   l'ancien élève   l'héroïne

Mais :   le héros, la honte

B. Avec les prépositions **à** et **de**, les articles définis **le** et **les** ont les formes contractées **au, du, aux, des** :

au garçon   **des** garçons   **des** héroïnes
du garçon   **aux** filles   **aux** anciens élèves
aux garçons   **aux** hôpitaux   **des** grandes idées

C. L'élision prime la contraction. En d'autres termes, **l'** ne présente jamais de forme contractée :

à l'ami   à l'ancien élève
de l'enfant   à l'hôpital
de l'énorme chambre

D. Les règles qui gouvernent l'emploi ou l'omission de l'article défini sont complexes. On emploie généralement l'article défini :

1. Devant les noms employés dans un sens général :

En France, **le** pain et **la** viande ne sont pas chers.
Les enfants aiment **les** animaux.
Les paysans se lèvent tôt **le** matin.

2. Devant les noms abstraits et notamment:

a. Les noms de langues ou de disciplines:

> J'aime **la** biologie, mais je préfère l'algèbre et **le** droit.
> Il connaît déjà l'espagnol et il étudie **le** russe et **le** grec.

Mais on omet généralement l'article après le verbe **parler**, surtout lorsque le nom de la langue suit immédiatement ce verbe:

> Je voudrais **parler** français.
> Je voudrais **parler** couramment (**le**) grec.

b. Les noms de pays, de provinces, de régions, de continents, de fleuves, de montagnes:

> **Le** Nebraska et **la** Floride sont des états **des** Etats-Unis.
> **La** France et **le** Danemark font partie de l'Europe.
> **Les** Andes forment la frontière entre **le** Chili et l'Argentine.
> **Le** Nil est en Egypte, et **la** Loire est un fleuve de France.

(Voir ci-dessous E-1 et E-2-*c.*)

c. Les jours de la semaine, dans un sens général ou habituel:

> Ma classe de latin est **le** lundi, **le** mercredi et **le** vendredi. (C'est-à-dire que chaque semaine, j'ai classe les jours indiqués.)
> Je déjeune chez ma sœur **le** vendredi. (Habituellement, chaque semaine.)

Mais on omet l'article quand il s'agit d'un jour particulier:

> J'ai vu Pierre **lundi**, et je verrai sa sœur **vendredi**.

d. Les titres, ou les adjectifs qualifiant un nom propre:

> **L'empereur** Napoléon épousa **la princesse** Marie-Louise.
> **Le docteur** Dupont et **le professeur** Leroy sont les cousins **du président** Lebrun.
> "**La Belle** Hélène" est une opérette **du célèbre** Offenbach.[1]

e. Les expressions de quantité lorsqu'il s'agit de prix:

> Les tomates coûtent deux francs **le** kilo, les œufs trois francs **la** douzaine et le lait un franc **le** litre.

f. Pour remplacer l'adjectif possessif qualifiant les parties du corps, lorsqu'il n'y a pas ambiguïté quant au possesseur :

> Elle se lava **les** mains.
> L'athlète pliait **les** genoux en levant **les** bras.

L'ambiguïté possible quant au possesseur est évitée par l'emploi approprié du pronom complément d'objet :

> Sa mère **lui** lava **les** mains.

On emploie cependant l'adjectif possessif lorsque la partie du corps est qualifiée :

L'athlète pliait les genoux en levant **ses** bras **musclés**.

(Voir Note[1], p. 108.)

E. On omet généralement l'article défini :

1. Après la préposition **en** :

> Je vais en France cet été.
> Traduisez cette phrase en français.
> Il est très fort en mathématiques.

(Voir 50-A-3, p. 153.)

Sauf dans certaines expressions idiomatiques, telles que : **en l'honneur de, en l'air, en l'absence de, en l'an**, etc. . . .

2. Après la préposition **de** dans les cas suivants :

a. Dans l'expression **avoir besoin de**, si le nom qui suit est employé dans un sens général ou partitif :

Avez-vous besoin d'argent? (sens général ou partitif)

Mais : Avez-vous besoin de **l'**argent que je vous dois? (sens déterminé)

b. Après les adverbes et les noms qui expriment la quantité :

un kilo de café	trop de travail
une douzaine d'œufs	autant de personnes
beaucoup de paquets	etc . . .[2]
un peu de courage	

    c. Introduisant un nom de pays féminin, non modifié:

            Je viens de France.
            Le roi d'Angleterre

    Mais: Je viens **du** Japon.   (masculin)
            Les pharaons de l'ancienne Egypte.   (féminin modifié)

    d. Dans certaines expressions adverbiales:

Il crie de douleur.	*He screams with pain.*
Elle dansait de joie.	*She danced with joy.*
Nous mourons de soif.	*We are dying of thirst.*

3. Avec les noms en apposition qui caractérisent sans particulariser:

    Le professeur Dupont, **membre** de l'Académie, a quitté Paris hier; son fils, **le ministre** des finances, **orateur** réputé, l'accompagnait.

    (Les noms en apposition **membre** et **orateur** ne particularisent pas. Le nom **ministre** particularise: il indique qu'il s'agit du fils qui est ministre et non pas d'un autre fils.)

4. Avec les noms de villes, à moins que le nom soit qualifié:[3]

            Paris est une belle ville.
            Je vais à Paris.

    Mais: **Le Paris du XIXe siècle a** été transformé par Haussmann.
            Je pense **au** Paris **de ma jeunesse.**

NOTES

[1] On omet l'article défini avec **Monsieur, Madame** et **Mademoiselle**:

En me promenant avec Monsieur Dupont, j'ai rencontré Madame Leroy et sa fille, Mademoiselle Hélène.

Par ailleurs, lorsqu'on s'adresse à une personne en l'appelant par son titre, les formes sont purement conventionnelles. On dit, par exemple:

$$\text{Bonjour,} \begin{cases} \text{Professeur Dupont.} \\ \text{mon capitaine.} \\ \text{Maître Dupont (à un avocat).} \\ \text{Docteur Dupont.} \\ \text{Maître, Docteur, Excellence, etc.} \end{cases}$$

$$\text{Mais:} \quad \text{Bonjour,} \begin{cases} \text{Monsieur le professeur.} \\ \text{Monsieur le président.} \\ \text{Monsieur le curé.} \\ \text{Monsieur l'agent.} \\ \text{Madame la duchesse, etc.} \end{cases}$$

[2] L'article est cependant obligatoire avec les expressions **bien de, encore de, la plupart de**:

La plupart **des** Français et bien **des** étrangers ont lu Molière.

[3] Le nom de certaines villes comporte un article défini (avec une majuscule) qui n'est jamais omis:

Le Havre	La Havane	La Haye (*The Hague*)
au Havre	à La Havane	à La Haye
du Havre	de La Havane	de La Haye
La Rochelle	La Nouvelle Orléans	Le Caire (*Cairo*)
à La Rochelle	à La Nouvelle Orléans	au Caire
de La Rochelle	de La Nouvelle Orléans	du Caire

DIFFICULTÉS DE TRADUCTION

1. L'expression anglaise *one of them* se traduit par **l'un d'eux** ou **l'une d'elles**.

2. Lorsqu'il s'agit de jours de la semaine, la préposition anglaise *on* ne se traduit pas:

I play tennis on Thursdays. Je joue au tennis **le** jeudi.
I shall play tennis on Monday. Je vais jouer au tennis lundi.

3. Parfois, un nom français est pris dans un sens général et donc s'emploie avec l'article défini, alors qu'en anglais il est pris dans un sens particulier et s'emploie avec un article indéfini:

Would you like to have a drink (before dinner) with me?
Voulez-vous prendre l'apéritif avec moi?

PARTIE B

27. L'article indéfini et l'article partitif

A. Les articles indéfinis singuliers **un** et **une** ont une forme plurielle commune, **des**:

> **un** garçon, **des** garçons,   **une** fille, **des** filles.

B. Le mot **partitif** exprime l'idée de partie. On emploie un partitif pour indiquer qu'il s'agit seulement d'une partie d'un tout. Ainsi, lorsqu'on dit:

> Donnez-moi **du** pain et **des** oranges,

on veut dire **une certaine quantité** de pain, **un certain nombre** d'oranges.

De même dans le cas d'un nom abstrait:

> Avec **de la** patience, **de l'**audace et **du** tact, tout est possible.

Les formes de l'article partitif sont **du, de la, de l'**, et **des**. On voit que l'article partitif est formé par la préposition **de** plus l'article défini (**du** = **de** + **le, des** = **de** + **les**). Il existe aussi une forme **de**, élidée en **d'** devant une voyelle ou une **h** muette, qui s'emploie:

1. Quand le nom partitif est le complément d'objet direct d'un verbe au <u>négatif</u>:

> Vous ne me donnez pas **de** pain.
> Elle n'a guère **de** courage.
> Il n'y a point **d'**hôpital dans ce quartier.
> N'y a-t-il plus **d'**espoir?

2. Devant un <u>adjectif pluriel</u>:[1]

> Il y a **de** grandes assiettes et **de** riches gobelets sur la table.
> Voici **de** belles pommes et **d'**énormes tomates.
> Il y eut **d'**horribles batailles pendant la guerre.

3. Après toutes les <u>expressions</u> qui se construisent avec la préposition **de**, notamment certains verbes (**se passer de . . .,**

parler de . . ., **avoir besoin de** . . ., etc.) et les expressions de quantité, adverbes ou noms. (Voir 26-E-2-*b*, p. 75):

L'homme ne peut se passer **de** nourriture.
Avez-vous besoin **d'**argent?
Je voudrais un kilo **de** beurre, une douzaine **d'**œufs, un peu **de** vin et une quantité **d'**autres choses.

On remarquera que la préposition **de** et l'article partitif **de** se confondent dans ce cas.

C. L'article indéfini ou partitif s'omet:

1. Généralement, devant un attribut qui joue le rôle d'un adjectif (par exemple, les noms de professions, de nationalités, les titres, etc.):

> Nous sommes soldats.
> Il est nommé président.
> Nous devenons amis.
> Tu es Française.

Par contre, si ce nom est déterminé, il ne joue plus le rôle d'un adjectif, et l'article est exigé:

> Nous sommes **des** soldats courageux.
> C'est **un** président très compétent.
> Nous sommes devenus **d'**excellents amis.
> Tu es **une** Française typique.

2. Après la préposition **sans**:[2]

> Il est resté sans argent et sans travail.

3. Dans les locutions adverbiales composées de la préposition **avec** et d'un nom abstrait:[2]

> Travaillez avec soin, avec méthode, avec enthousiasme, et vous travaillerez avec plaisir et avec profit.

Mais: Il travaille avec **des** amis.

4. Avec la conjonction **ni** . . . **ni** . . .:[2]

> Je n'ai ni cigarettes ni cigares.

NOTES

[1] Cependant, la forme **des**, tolérée dans tous les cas, devient obligatoire lorsque l'adjectif et le nom forment une sorte de nom composé, c'est-à-dire lorsque l'adjectif est partie intégrante de l'idée exprimée. Par exemple, **vieille maison** exprime deux idées: celle de **maison** et celle de **vieillesse.** Par contre, **vieille fille** (*spinster*) exprime une seule idée. De même, **petite maison** (deux idées) et **petit pain** (*roll*, *bun*, une seule idée). On dira donc généralement:

> **de** vieilles maisons, **de** petites maisons

Mais on doit dire:

> **des** vieilles filles, **des** petits pains

[2] Après la préposition **sans**, dans les locutions adverbiales composées de la préposition **avec** et d'un nom abstrait, avec la conjonction **ni . . . ni . . .**, l'article (défini, indéfini ou partitif selon le cas) est employé lorsqu'il s'agit d'un nom déterminé:

Il est resté sans **l'**argent qu'il avait économisé et sans **le** travail qu'il espérait.
Travaillez avec **un** soin constant, avec **une** méthode rigoureuse.
Je n'ai ni **des** cigarettes américaines ni **des** cigares à cinq francs.

DIFFICULTÉS DE TRADUCTION

1. Il n'existe pas d'article partitif ni d'article indéfini pluriel en anglais, mais les adjectifs *some* ou *any* peuvent jouer ce rôle; ils sont souvent sous-entendus:

J'ai vu **un** garçon et **une** fille jouer avec **des** soldats de plomb.
I saw a boy and a girl playing with (some) tin soldiers.
Il a **des** pommes et **du** fromages; avez-vous **du** pain?
He has (some) apples and (some) cheese; do you have (any) bread?

28. Le nom

A. Le genre des noms.

Il n'existe guère de règles absolues permettant de reconnaître le genre des noms. Quelques principes généraux sont cependant utiles à connaître.

1. Les noms généralement féminins sont:

a. Les noms qui désignent des personnes ou des animaux de sexe féminin:

la femme	la vendeuse	l'infirmière	la jument	la guenon
la fille	la blonde	la reine	la poule	la vache
la servante				

b. Les noms ayant pour terminaison un **e** muet précédé d'une voyelle ou d'une double consonne:[1]

la rue	la balle	la pomme
la patrie	la ville	la cigarette

c. Les noms abstraits ayant pour terminaison **-té**, **-tié**, ou **-eur**:

la san**té**	la pi**tié**	la chal**eur**
la liber**té**	l'ami**tié**	l'ard**eur**

Mais: le côté, le comité, un honneur

d. Les noms de pays, de continents, de régions, de provinces, de montagnes ayant pour terminaison un **e** muet:

la Belgique	l'Asie	la Bourgogne	les Hautes-Alpes
la Roumanie	l'Afrique	la Normandie	les Basses-Pyrénées

Mais: Le Mexique   Le Cambodge

e. Les noms ayant pour terminaison **-son**, **-ion**, **-ance**, **-ence**, **-ière**, **-oire**:

la rai**son**	la ch**ance**	la pri**ère**
l'admirat**ion**	la rég**ence**	la baign**oire**

2. Les noms généralement masculins sont:

a. Les noms qui désignent des personnes ou des animaux de sexe masculin:

l'homme	le vendeur	l'infirmier	le cheval	le singe
le garçon	le blond	le roi	le coq	le taureau
le serviteur				

b. Les noms ayant pour terminaison une voyelle autre que **e** muet (excepté ceux qui se terminent par **-té** et par **-tié**):

le cinéma, le café, le parti, le piano, le seau

c. Les noms ayant pour terminaison **-isme** ou **-asme**:

le cynisme, le communisme, le marasme, le pléonasme

d. Les noms de pays, de régions, de provinces, de montagnes, de fleuves n'ayant pas un **e** muet pour terminaison:

le Japon	le Languedoc	le Haut Atlas
le Chili	le Texas	le Nil
le Sahara	le Moyen-Orient	le Mississippi

e. La plupart des noms ayant pour terminaison une consonne:

le lac, le fil, le vin, le bar, le bas, le lit, le riz

3. Pour indiquer une personne qui se livre à une activité, certains noms ont, au masculin, la terminaison **-eur** (le vol**eur**: l'homme qui vole; le vend**eur**: l'homme qui vend; le serv**eur**: l'homme qui sert). Au féminin, la plupart de ces noms ont pour terminaison **-euse** (la vol**euse**: la femme qui vole; la vend**euse**; la serv**euse**).

De même, les noms ayant pour terminaison **-teur** au masculin ont généralement la terminaison **-trice** au féminin:

un acteur	un admirateur	le directeur	le spectateur
une actrice	une admiratrice	la directrice	la spectatrice

B. Le pluriel des noms:[2]

1. La plupart des noms forment leur pluriel en ajoutant **s** au singulier. Cependant, les noms ayant pour terminaisons **s**, **x** ou **z** au singulier ne changent pas au pluriel:

le lac	la jument	la baignoire	le voleur
les lacs	les juments	les baignoires	les voleurs

le } bas   le } prix   le } nez
les }   les }   les }

2. Les noms qui forment leur pluriel en ajoutant **x** au singulier sont:

a. La plupart des noms ayant pour terminaison **-au** ou **-eu**:

le bateau	le seau	le neveu	le cheveu
les bateaux	les seaux	les neveux	les cheveux

b. Six noms ayant la terminaison **-ou** au singulier:

les bijoux	les poux	les hiboux
les cailloux	les genoux	les joujoux

3. La plupart des noms ayant au singulier la terminaison **-al** ou **-ail** ont au pluriel la terminaison **-aux**:

le journal	le général	le travail	l'émail
les journaux	les généraux	les travaux	les émaux

4. Les noms propres ne varient généralement pas au pluriel:

J'ai rencontré les Dupont et les Leroy chez les Martin.

Cependant, les noms propres peuvent être mis au pluriel lorsqu'ils désignent des œuvres d'artistes:

Au Louvre, j'ai vu deux Goyas, quelques Rembrandts et plusieurs La Tours.

5. Le pluriel des noms composés:

a. Quand les éléments qui composent le nom sont soudés (c'est-à-dire quand ils ne sont pas reliés par un trait d'union), le nom est traité comme un nom simple:[3]

les portemanteaux, les gendarmes, les contremarches

b. Quand les éléments sont séparés, l'analyse est souvent difficile. Parmi les cas possibles, retenons:

83

Les noms composés formés d'un adjectif et d'un nom (le **grand-père**) ou d'un nom et d'un nom en apposition (le **chou-fleur**). Les deux éléments sont mis au pluriel:

les grands-pères	les plates-bandes	les belles-filles
les choux-fleurs	les wagons-restaurants	les sergents-chefs

Les noms composés formés par deux noms reliés par une préposition (même sous-entendue). Seul le premier nom est mis au pluriel:

les chefs-d'œuvre	les timbres-poste
les arcs-en-ciel	(les timbres [de] poste)
les chemins-de-fer	

Les noms composés qui contiennent un verbe (le **tire**-bouchon) un adverbe (le **bien**-aimé) ou une préposition (l'**avant**-scène). Le nom sera mis au pluriel s'il peut avoir un sens pluriel:

les tire-bouchons,   les bien-aimés,   les avant-scènes

Mais: les porte-monnaie (portent **la** monnaie, non **les** monnaies)
les gratte-ciel (grattent **le** ciel, non **les** cieux)
les coupe-papier (coupent **le** papier, non **les** papiers)

NOTES

[1] Quand un nom peut avoir une forme masculine et une forme féminine, la forme féminine est le plus souvent formée en ajoutant un e muet à la forme masculine:

le cousin	l'étudiant	le Chinois	l'avocat
la cousine	l'étudiante	la Chinoise	l'avocate

L'adjonction de l' e muet peut entraîner des changements non seulement phonétiques, mais aussi orthographiques:

a. Le **p** et le **f** finaux se changent en **v**:

le loup	le Juif	le veuf
la louve	la Juive	la veuve

b. L' x se change en s:

l'époux   l'épouse

c. Pour les noms à terminaison **-er**, le féminin donne **-ère**:

le fermi**er**	l'infirmi**er**	le berg**er**
la fermi**ère**	l'infirmi**ère**	la berg**ère**

d. Souvent, la consonne finale d'un mot masculin se double:

le chat	le baron
la cha**tte**	la baro**nne**

² Certains noms ne possèdent pas de singulier:

les annales	les entrailles	les pleurs
les archives	les environs	les ténèbres
les bestiaux	les mœurs	les vivres

³ On dit cependant **Mes**dames, **Mes**demoiselles, **Mes**sieurs.

DIFFICULTÉS DE TRADUCTION

1. Certains noms sont soit masculins, soit féminins selon leur sens:

un critique	*a critic*	une critique	*a criticism*
un manœuvre	*an unskilled laborer*	une manœuvre	*a scheme*
un manche	*a handle*	une manche	*a sleeve*
un mode	*a mode, as in music*	une mode	*a fashion*
un voile	*a veil*	une voile	*a sail*
un livre	*a book*	une livre	*a pound*
le vase	*the vase*	la vase	*the mud*
le poste	*the post, the job, the station (as in battle-station)*	la poste	*the mail*

NEUVIÈME LEÇON

PARTIE A

29. L'adjectif qualificatif

A. L'adjectif qualificatif exprime une qualité du nom auquel il se réfère; il s'accorde en genre et en nombre avec ce nom:

la **grande** porte,   les animaux **sauvages**,   les hommes **intelligents**

B. La formation du féminin:

1. Le féminin de l'adjectif se forme en ajoutant un **e** muet à la forme masculine, sauf si le masculin est déjà terminé par un **e** muet, dans quel cas les deux genres ont la même forme:

grand	petit	utile	large	militaire
grande	petite			

2. Les changements orthographiques qu'entraîne la formation du féminin pour certains noms se produisent aussi dans le cas de l'adjectif qualificatif. (Voir Note[1], p. 84):

a. La terminaison **-f** devient **-ve**:

neuf	vif	destructif
neuve	vive	destructive

b. La terminaison **-x** devient **-se**:

heureux	amoureux	peureux
heureuse	amoureuse	peureuse

c. La terminaison **-er** devient **-ère**:

premier	cher	amer
première	chère	amère

d. La terminaison **-eur** devient **-euse** :

	moqu**eur**	travaill**eur**
	moqu**euse**	travaill**euse**
Mais :	chass**eur**	péch**eur**
	chass**eresse**	péch**eresse**

Cependant, un certain nombre d'adjectifs en **-eur**, formés à partir d'un comparatif latin, forment leur féminin en ajoutant un **e** muet :

antérieur (**e**)	inférieur (**e**)	supérieur (**e**)	mineur (**e**)
extérieur (**e**)	postérieur (**e**)	majeur (e)	meilleur (e)

e. La plupart des adjectifs en **-teur** forment leur féminin en **-trice** :

	destruc**teur**	protec**teur**
	destruc**trice**	protec**trice**
Mais :	flatt**eur**	enchan**teur**
	flatt**euse**	enchan**teresse**

f. Souvent, la consonne finale d'un adjectif se double (en particulier pour les adjectifs en **-el**, **-eil**, **-en**, **-on**, **-as** et **-os**) :

	cru**el**	par**eil**	chréti**en**	
	cru**elle**	par**eille**	chréti**enne**	
	mu**et**	b**on**	gr**as**	gr**os**
	mu**ette**	b**onne**	gr**asse**	gr**osse**
Mais :	complet	concret	discret	inquiet	secret
	compl**ète**	concr**ète**	discr**ète**	inqui**ète**	secr**ète**

g. Beaucoup d'adjectifs sont irréguliers et forment leur féminin de façon spéciale ; les plus communs sont :

MASCULIN	FÉMININ	MASCULIN	FÉMININ
blanc	blan**che**	gentil	genti**lle**
doux	dou**ce**	grec	grec**que**
épais	épai**sse**	long	lon**gue**
faux	fau**sse**	malin	mali**gne**
favori	favori**te**	public	publi**que**
fou	fo**lle**	roux	rou**sse**
frais	fra**îche**	sec	s**èche**
franc	fran**che**		

h. Les adjectifs **beau, nouveau** et **vieux** ont les formes spéciales **bel, nouvel** et **vieil** quand ils précèdent un nom masculin singulier qui commence par une voyelle ou par une **h** muette. On forme le féminin de ces adjectifs à partir des formes spéciales:

un **bel** homme	un **nouvel** hôpital	un **vieil** ami
une **belle** femme	une **nouvelle** histoire	une **vieille** voiture

C. La formation du pluriel:

1. Le pluriel de l'adjectif qualificatif se forme généralement en ajoutant un **s** au singulier (masculin et féminin). Toutefois, si le singulier est déjà terminé par un **s** ou par un **x**, il n'y a aucun changement:

grand	gros	cruel	heureux
grande	grosse	cruelle	heureuse
grands	gros	cruels	heureux
grandes	grosses	cruelles	heureuses

2. Les adjectifs ayant **-au** ou **-al** pour terminaison au singulier forment leur pluriel de la même façon que les noms ayant les mêmes terminaisons. (Voir 28-B, p. 83):

beau	cordial
beaux	cordiaux

D. Difficultés d'accords:

1. Avec un nom collectif au singulier suivi d'un complément au pluriel, l'adjectif peut s'accorder soit avec le collectif, soit avec son complément:

Un régiment de soldats **décidés** (ou **décidé**) à vaincre. (Le régiment est **décidé**, ou les soldats sont **décidés**.)

Cependant, l'adjectif ne peut parfois s'appliquer logiquement qu'à l'un des deux termes:

Une douzaine de soldats **blessés**. (Les soldats sont blessés, la douzaine ne peut pas l'être.)

Un nombre de soldats aussi **élevé** n'a jamais été capturé. (Le nombre est élevé, les soldats ne le sont pas.)

2. Les adjectifs simples désignant la couleur s'accordent normalement:

une robe **bleue**, des cravates **vertes**, des chemises **jaunes**

Les adjectifs composés désignant la couleur sont invariables:

une robe **bleu clair**, des cravates **vert foncé**, des chemises **jaune
pâle**

3. Lorsqu'un adjectif qualifie des noms de genres différents il
doit être mis au masculin pluriel. Dans ce cas, on rapproche
le nom masculin de l'adjectif:

une élégance et un charme **parfaits**

---

30. La place de l'adjectif qualificatif

A. Il n'y a guère de règles absolues en ce qui concerne la place de
l'adjectif qualificatif par rapport au nom. Certains adjectifs
précèdent habituellement le nom; d'autres le suivent. Les
principes généraux ci-dessous sont valables surtout pour la
prose, puisque la plus grande liberté est permise en poésie.

B. Dans la majorité des cas, l'adjectif suit le nom; en particulier,
les adjectifs:

1. Qui indiquent la couleur ou la forme:

un cheval **blanc**, une automobile **vert foncé**, le ciel **bleu**
un visage **oval**, une maison **carrée**, un terrain **rectangulaire**

2. Qui indiquent la nationalité, l'origine, la religion, l'office, ou
qui dérivent d'un nom propre:

un poète **espagnol**, une chanson **parisienne**, un village **breton**
une cérémonie **catholique**, un pasteur **protestant**
une voiture **présidentielle**, une ordonnance **municipale**
un drame **cornélien**, la géométrie **euclidienne**

3. Qui sont formés par un participe passé ou un participe présent:

une porte **ouverte**, un travail **fini**, une conversation **animée**
un Catholique **pratiquant**, une femme **charmante**, des nouvelles
inquiétantes

4. Qui sont qualifiés par un adverbe:[1]

un enfant **gravement malade**, une nouvelle **entièrement fausse**

C. Néanmoins, certains adjectifs qualificatifs précèdent généralement le nom; en particulier:

1. Ceux qui qualifient un nom propre:

Le **cruel Néron** était le fils de l'**ambitieuse Agrippine**.
Les **pacifiques Incas** furent battus par les **belliqueux Espagnols**.

2. Une série d'adjectifs courts, employés très souvent dans la
langue de tous les jours, et qui indiquent une qualité facilement associée au nom qu'ils qualifient:

un **beau** tableau	Mais:	un tableau **remarquable**
une **bonne** réponse		une réponse **intelligente**
de **gentils** garçons		des garçons **insupportables**
un **long** voyage		un voyage **passionnant**
un **nouveau** roman		un roman **incompréhensible**
de **jolis** chapeaux		des chapeaux **extraordinaires**
une **mauvaise** note		une note **surprenante**
une **grande** maison		une maison **élégante**

Cependant, quand on veut mettre un de ces adjectifs qualificatifs
en valeur, le faire ressortir d'une manière plus frappante, on aura
tendance à le placer après le nom:

Bien que j'aie donné une réponse **bonne**, j'ai reçu une note **mauvaise**.

D. Quand deux adjectifs qualifient le même nom:

1. Chaque adjectif prend sa place habituelle:

une **jolie** fleur **bleue** (On dit: une **jolie** fleur; une fleur **bleue**.)
le **jeune** ami **grec** (On dit: le **jeune** ami; l'ami **grec**.)
une **grande** maison **carrée** (On dit: une **grande** maison; une maison
carrée.)

2. Quand les deux adjectifs ont la même place et la même
valeur (c'est-à-dire qu'ils ont la même importance), ils sont
généralement joints par la conjonction **et**:

un grand **et** beau tableau
un jeune **et** gentil garçon
une robe blanche **et** rouge

3. Quand deux adjectifs qui n'ont pas la même valeur suivent le nom, l'un d'eux qualifie généralement une sorte de nom composé formé par le nom et l'autre adjectif, et vient en dernier :

Un Catholique pratiquant **français**.

L'adjectif **français** qualifie le "nom composé" **Catholique pratiquant**. C'est l'adjectif **français** qui est mis en valeur.

Un Catholique français **pratiquant**.

L'adjectif **pratiquant** qualifie le "nom composé" **Catholique français**. C'est l'adjectif **pratiquant** qui est mis en valeur.

Ceci est encore plus marqué quand deux adjectifs qui n'ont pas la même valeur précèdent le nom. Dans ce cas, un des adjectifs, placé à côté du nom, forme généralément avec ce nom une expression courante, qualifiée par le premier adjectif :

une belle **jeune fille**   un beau **petit garçon**
un vrai **grand homme**   un admirable **nouveau film**

NOTES

[1] Les adjectifs qualifiés par un adverbe "court" tel que **très**, **plus**, **assez**, etc. peuvent se placer soit avant soit après le nom. On dit :

un **très court** voyage   ou : un voyage **très court**
un **plus grand** danger   un danger **plus grand**
une **assez bonne** soupe   une soupe **assez bonne**

DIFFICULTÉS DE TRADUCTION

1. Certains adjectifs qualificatifs ont un sens différent selon qu'ils précèdent ou qu'ils suivent le nom :

un ancien élève	*a former student, an alumnus*
l'histoire ancienne	*ancient history*
un brave garçon	*a good boy*
un garçon brave	*a brave boy*

un certain risque	*a certain risk, some risk*
un risque certain	*an unquestionable risk*
cher Jacques	*dear Jacques*
une robe chère	*an expensive dress*
différentes personnes	*various persons*
des personnes différentes	*different persons*
un grand homme	*a great man*
un homme grand	*a tall man*
le même courage	*the same courage*
le courage même	*courage itself*
ma propre chemise	*my own shirt*
ma chemise propre	*my clean shirt*
pauvre garçon!	*poor boy!*
un garçon pauvre	*a moneyless boy*
etc.	

2. On remarquera, dans la liste ci-dessus, que certains adjectifs ont un sens propre (ou objectif) et un sens figuré (ou subjectif). Au sens propre, ils suivent généralement le nom, au sens figuré, ils le précèdent. Par exemple l'adjectif **brave**, au sens propre, veut dire "qui a du courage" (valeur objective) et suit généralement le nom. Au sens figuré, **brave** veut dire "gentil, honnête, travailleur . . ." (valeur subjective) et précède généralement le nom. On dit donc, au sens figuré, un **noir** chagrin (mais un chien **noir**), d'**étroites** relations (mais une porte **étroite**), etc.

3. Les adjectifs **prochain** et **dernier** suivent le nom dans une expression de temps avec **an**, **année**, **mois**, **semaine**, etc:

L'année **dernière** j'étais en France, l'an **prochain** j'irai en Italie.

Cependant, lorsqu'il s'agit d'indiquer une place dans une série, **prochain** et **dernier** précèdent le nom:

Les **dernières** années du règne de Louis XIV furent désastreuses.
La **prochaine** fois, ne partons pas à la **dernière** minute.
J'habite la **dernière** maison de la **prochaine** rue.

PARTIE B

31. La comparaison de l'adjectif qualificatif

A. Les comparatifs et les superlatifs se forment en faisant précéder l'adjectif qualificatif des adverbes de quantité suivants:[1]

Comparatif d'égalité: **aussi**[2]

> Les pommes sont **aussi** chères que les tomates.

Comparatif de supériorité: **plus**[3]

> Les pommes sont **plus** chères que les tomates.

Comparatif d'infériorité: **moins**[3]

> Les pommes sont **moins** chères que les tomates.

Superlatif: **le (la, les) plus**   **le (la, les) moins**

> Ces pommes sont **les plus** chères.
> Ces pommes sont **les moins** chères.

On remarque que le superlatif se distingue du comparatif par la présence de l'article défini qui le précède, et qui s'accorde avec le nom:

> Ce garçon est **plus** modeste.
> Ce garçon est **le plus** modeste.
> Ces garçons sont **les plus** modestes.
>
> Cette fille est **moins** belle.
> Cette fille est **la moins** belle.
> Ces filles sont **les moins** belles.

B. Quand l'adjectif suit le nom, son comparatif et son superlatif se forment sans difficulté:

> Le chapeau **élégant**
> Le chapeau **plus élégant**   } coûte 100 francs.
> Le chapeau **le plus élégant**

> Il a choisi { les questions **difficiles.**
> les questions **plus difficiles.**
> les questions **les plus difficiles.**

C. Quand un adjectif précède le nom, et qu'il est lui-même précédé par un article défini, on ne répète pas l'article défini en formant le superlatif:

> La **belle** fille est assise.
> La **plus belle** fille est assise.

De même, on omet l'article défini du superlatif quand l'adjectif en question est précédé d'un adjectif possessif:

> Mon **beau** chien est malade.
> Mon **plus beau** chien est malade.

Une ambiguïté est donc possible. Il peut s'agir d'un comparatif ou d'un superlatif. Quand le sens n'est pas donné par le contexte, on résout la difficulté en plaçant le superlatif après le nom:

> la **grande** maison   *the **large** house*
> la **plus grande** maison   *the **larger** (**largest**) house*
> la maison **la plus grande**   *the **largest** house*

D. Le complément du comparatif est introduit par la conjonction **que**:

> Elle est plus belle **que** sa sœur.
> Elle est plus belle **que** charmante.
> Nous sommes aussi intelligents **qu'**eux.
> Ce livre est meilleur **que** l'autre.

E. Le complément du superlatif est introduit par la préposition **de**:

> Voici la fille la plus belle **de** la classe.
> Ce musée est le plus riche **du** monde.
> Ce chapeau est le moins cher **de** tous.

NOTES

[1] Remarquer les formes irrégulières suivantes:

	COMPARATIF	SUPERLATIF
bon	meilleur	le meilleur
mauvais	plus mauvais	le plus mauvais
	pire	le pire
petit	plus petit	le plus petit
	moindre	le moindre

Il existe aussi les comparatifs dits "savants", **inférieur, supérieur, antérieur,** et **postérieur,** qui introduisent leur complément par la préposition **à** :

> Le règne de Louis XIV est antérieur à celui de Charles X.
> Les cantates de Bach sont supérieures à toutes les autres.
> La découverte de l'Amérique est postérieure **aux** Croisades.

[2] Quand il y a négation, **si** remplace **aussi** :

> Les pommes ne sont pas **si** chères que les tomates.
> Jacques n'est pas **si** intelligent que Pierre.

[3] **Plus** et **moins** adverbes de quantité exigent la préposition **de** devant un adjectif numéral :

> Il a moins **de** cinquante francs.
> Plus **de** cent cinquante pièces ont été jouées en 1958.

Mais :   Il a plus d'argent **que** sa sœur.

DIFFICULTÉS DE TRADUCTION

1. Quand **most** + **adjective** veut dire **very** + **adjective**, on ne le traduit pas par le superlatif, mais par **très**, ou par un autre adverbe de manière (**extrêmement, exceptionnellement, énormément,** etc.) :

> *a **most** pleasant evening*
> une soirée **très** agréable
>
> *I am **most** grateful to you.*
> Je vous suis **extrêmement** reconnaissant.

2. La préposition **de** qui introduit le complément du superlatif se traduit généralement par *in* ou par *of* :

> le plus modeste **de** la classe
> *the most modest **in** the class*
>
> la fille la moins belle **de** la classe
> *The least beautiful girl **in** the class*
>
> Le chien est le plus fidèle **des** animaux.
> *The dog is the most faithful **of** animals.*
>
> Ce musée est le plus riche **du** monde.
> *This museum is the richest **in** the world.*

95

3. Les étudiants de langue anglaise ont tendance à confondre les adjectifs **bon** (*good*) et **mauvais** (*bad*) et les adverbes **bien** (*well, quite*) et **mal** (*badly*). L'adjectif qualifie le nom, tandis que l'adverbe qualifie le verbe, l'adjectif, ou un autre adverbe:

> un **bon** repas
> Cette sauce est **meilleure** que l'autre.
> Les **meilleurs** cigares viennent de La Havane.
>
> un **mauvais** repas
> Mes notes sont **pires (plus mauvaises)** que les vôtres.
> J'ai acheté **la pire (la plus mauvaise)** des voitures.
>
> une dame **bien** aimable
> Elle sort **bien** souvent avec mon frère.
>
> Travaillez **bien** et vous comprendrez **mieux**.
> Il a **mal** répondu.
> Une sauce **mal** préparée.

---

32. L'adjectif indéfini

A. Les principaux adjectifs indéfinis sont: **quelque, chaque, maint, autre, plusieurs, certain, divers, différents, tout, aucun, nul, quelque (quel, quels, quelle, quelles) . . . que, quelconque, même, tel.** Il ne faut pas confondre les adjectifs indéfinis et les pronoms indéfinis qui leur correspondent. (Voir 44, p. 135.)

B. Les adjectifs **autre, tel** et **même** peuvent précéder ou suivre le nom. L'adjectif **quelconque** suit généralement le nom. Les autres adjectifs indéfinis précèdent le nom.

C. Quelque:

1. Au singulier, **quelque** veut dire:

a. Une petite quantité de:

Sans être un génie, ce garçon a **quelque** talent.   (*a little*)

b. Quelconque, n'importe quel:

Je voudrais trouver **quelque** travail.   (*some, any kind of*)

un travail quelconque

2. Au pluriel, **quelques** veut dire: un petit nombre de:

Il a **quelques** pommes et **quelques** tomates. (*a few*)

D. Chaque ne s'emploie qu'au singulier:

Chaque fois que je le vois, je lui dis bonjour. (*Each, every*)
Chaque homme a besoin de liberté. (*Each, every*)

E. Maint est légèrement archaïque et ne se rencontre guère qu' au pluriel, dans la langue écrite ou dans des expressions idiomatiques:

Il a dû faire face à **maints** problèmes, à **maintes** difficultés. (*many a*)

F. Autre:

1. Veut dire: différent

Je préfère une **autre** chemise et d'**autres** cravates. (*another, other*)

2. Au pluriel avec la préposition **de**, **autres** a un sens partitif:

Quelques athlètes couraient, d'**autres** sautaient. (*some others*)

3. Employé après **nous** et **vous**, **autres** isole le groupe désigné:

Nous autres, nous restons; **vous autres**, partez. (*As for us, as for you*)

G. Plusieurs est invariable et indique un nombre moyen:

Je me lave les mains **plusieurs** fois par jour. (*several*)
Plusieurs élèves savent le latin. (*Several*)

H. Certain:

1. Au pluriel, **certains** est à peu près synonyme de **quelques**. On l'emploie souvent en correlation avec **d'autres**:

Certains mots anglais sont d'origine latine. (*Certain*)
Certaines questions sont faciles, **d'autres** ne le sont pas. (*Certain... others*)

2. Certain peut être un adjectif qualificatif. Dans ce cas, il suit le nom:

La mort semblait **certaine**. (*seemed certain*)

97

I. **Divers** et **différents** indiquent la pluralité, et sont à peu près synonymes de **quelques**:

> **Divers** orateurs ont exposé **différents** projets.   (*Several*)
> **Diverses** personnes ont proposé **différentes** choses.   (*Several*)

J. **Tout** et **tous** indiquent la totalité:

1. Tout, toute:

> *a.* Employé sans article est synonyme de **chaque**:
>
>> **Tout** homme a besoin de liberté.   (*Each, every*)
>> **Toute** question a une réponse.   (*Each, every*)
>
> *b.* Suivi d'un article, indique la totalité d'une quantité ou d'une entité, et signifie: tout entier:
>
>> **Toute la** foule applaudissait.   (*The whole, the entire*)
>> J'ai passé **toute une** année à Paris.   (*a whole, an entire*)

2. Tous, **toutes** indique la totalité d'un nombre:

> **Tous les** hommes ont besoin de liberté.   (*All*)
> **Toutes les** pommes sont chères.   (*All*)

3. Tous adjectif se prononce "tou"; **tous** pronom se prononce "tousse":

> **Tous** les garçons sont ici. ("tou")
> Les garçons sont **tous** ici. ("tousse")

K. **Aucun** et **nul** sont des adjectifs indéfinis négatifs, qui s'emploient surtout au singulier. Ils sont à peu près synonymes, **nul** étant plutôt littéraire. Ils s'emploient avec un **ne** négatif:

> **Aucune** tâche ⎫
> **Aucun** travail ⎬ n'est trop difficile pour lui.   (*No work is*)
>
> **Nulle** tâche ⎫
> **Nul** travail ⎬ n'est trop difficile pour lui.   (*No work is*)

L. L'adjectif indéfini **quelque** et les adjectifs interrogatifs **quel**, **quelle**, **quels**, **quelles** se combinent avec le relatif **que** pour former des locutions indéfinies. On les emploie dans des systèmes concessifs, toujours suivis du subjonctif. (Voir 20, p. 47):

Quelque chagrin **que** vous ayez, persévérez. (*Whatever sorrow*)
Quel que soit votre chagrin, persévérez. (*Whatever your sorrow*)
Quelle que soit la difficulté, persévérez. (*Whatever the difficulty*)
Quelles que soient ses questions, répondez. (*Whatever his questions*)

M. Quelconque veut dire: de n'importe quel genre, de n'importe quelle espèce:

Ce n'est pas une voiture **quelconque**, c'est une voiture de luxe. (*just any*)

Par extension, **quelconque**, comme adjectif qualificatif, a le sens de "médiocre":

Cette pièce a été jouée par des acteurs médiocres dans un décor très **quelconque**.

N. Même:

1. Placé après un nom de qualité, personnifie cette qualité:

Cet homme est l'ingratitude **même**. (*ingratitude itself*)

2. Placé après un nom ou un pronom désignant un objet ou une personne, le met en relief:

Ses parents mêmes ne l'aimaient pas. (*His very parents*)
Lui-même ne savait pas ce qu'il voulait. (*He himself*)
Ecris-lui **toi-même**. (*yourself*)

3. Placé avant le nom, et précédé de l'article, indique la similitude:

Nous avons **les mêmes** amis, **les mêmes** habitudes, nous lisons **le même** journal. (*the same*)

O. Tel:

1. Indique la ressemblance ou l'équivalence:

Je n'ai jamais vu une robe **telle** que la vôtre. (*such as*)
Tel père, **tel** fils. (***Like father, like son***)

2. A une valeur démonstrative:

Telle est mon histoire. (*Such*)
Il faut prendre les hommes **tels** qu'ils sont. (*as*)

33. L'adjectif démonstratif

A. Au masculin singulier, les deux formes de l'adjectif démonstratif sont **ce** devant une consonne et **cet** devant une voyelle ou une **h** aspirée. La forme féminine de cet adjectif est **cette**, la forme plurielle, commune aux deux genres, est **ces**:

> **ce** garçon, **cet** ami, **cet** hôpital, **cette** fille, **ces** exemples
> **Ce** professeur et **cet** élève ont étudié **ces** problèmes.
> **Cette** vendeuse m'a montré **ce** nouveau livre.

B. Il existe également des formes renforcées de ces adjectifs, formées par l'adjonction des adverbes **ci** et **là** au nom. Ces formes renforcées peuvent aussi servir à distinguer ce qui est proche (**–ci**) de ce qui est éloigné (**–là**):

> Avez-vous lu Balzac? **Cet** auteur-**là** est génial.
> Je garde **ces** livres-**ci** sur ma table et **ces** livres-**là** dans ma bibliothèque.

DIFFICULTÉS DE TRADUCTION

1. Les formes simples de l'adjectif démonstratif peuvent se traduire par *this* (*these*) ou *that* (*those*) à volonté:

> **Ce** garçon est français.
> *This* (*that*) *boy is French.*
>
> J'ai acheté **ces** livres d'art.
> *I bought* **these** (**those**) *art books.*

2. Les adverbes **ci** et **là** des formes renforcées ne se traduisent pas. On remarquera que l'anglais parlé incorrect a des formes semblables:

> **Ces** livres-**ci** sont plus chers que **ces** livres-**là**.
> *These books* (*here*) *are more expensive than* **those** *books* (*there*).

3. L'adjectif démonstratif ne s'emploie pas en français dans les phrases du genre:

> *Those students who study will succeed.*
> **Les** élèves qui étudient réussiront.

DIXIÈME LEÇON

PARTIE A

34. Le pronom démonstratif

A. Le pronom démonstratif **celui, celle, ceux, celles**:

1. Quand le pronom démonstratif remplace une expression définie, c'est-à-dire qui a un genre et un nombre, on emploie les formes **celui, celle, ceux, celles**, généralement modifiées par l'adverbe **ci** ou **là**:

J'ai beaucoup de livres; **celui-ci** est un roman, **ceux-là** sont des anthologies.
Voyez ces statues: **celles-ci** sont très médiocres, mais **celles-là** sont très belles.
Quel chapeau préférez-vous? **Celui-ci? Celui-là?**

2. On omet généralement les adverbes **ci** et **là** lorsque le pronom démonstratif est modifié:

a. Par une proposition relative:

J'ai beaucoup de livres; **celui qui est sur la table** est un roman.
Ces étudiantes sont américaines: **celle que je vous ai présentée** habite la Louisiane.
Nous avons deux sortes de cravates: **celles qui coûtent cinq francs** et **celles qui sont plus chères**.

b. Par un complément prépositionnel:

> **Ceux de mes amis** que j'ai invités parlent anglais.
> J'aime ces deux tableaux, mais je préfère **celui de droite.**
> Quelle robe portait-elle, **celle en coton** ou **celle en nylon**?

B. Le pronom démonstratif **ceci, cela (ça)**:

1. Quand le pronom démonstratif remplace une expression indéfinie, c'est-à-dire qui n'a ni genre ni nombre (par exemple une idée ou un fait), on emploie les formes **ceci** ou **cela (ça** en style familier). **Cela (ça)** s'emploie quand l'expression a déjà été mentionnée, **ceci** pour introduire l'expression:

> Votre fils a reçu une bonne note; **cela (ça)** vous fait certainement plaisir.
> **Ceci** vous fera plaisir: votre fils a reçu une bonne note.
> Vous avez fait une faute, mais **cela (ça)** n'a pas d'importance.
> **Ceci** me semble certain: vous avez eu raison de partir.

2. Dans le cas où le pronom démonstratif est sujet du verbe **être**[1] et remplace une expression indéfinie, on remplace généralement la forme **cela** par la forme **ce** (voir ci-dessous, C-3).

C. Le pronom démonstratif **ce**:

1. Le pronom démonstratif **ce** (**c'** devant un e, **ç'** devant un **a**) s'emploie uniquement comme sujet du verbe **être**.[1] Dans certains cas, il est obligatoire; dans d'autres, il est facultatif, et peut être remplacé par **cela**.

2. **Ce (c', ç')** est obligatoire:

a. Devant un nom modifié par un article:[2]

> Regardez le monsieur qui entre: **c'**est un grand poète.
> Qui est cette demoiselle? **C'**est la fiancée de Pierre.
> Voilà des fruits; **ce** sont des pommes et des oranges.

> Mais: Connaissez-vous ce monsieur? **Il** est avocat.

(Voir 27-C-1, p. 79.)

b. Devant un nom propre:

Regardez ce jeune homme, **c'est** Pierre Dupont.

c. Devant un pronom:

J'ai trouvé un livre; est-**ce** le vôtre?
Ces pommes sont petites, mais **ce** sont celles que j'aime.
Si quelqu'un pouvait aider Pierre, **ce** serait vous.
Si quelqu'un avait pu aider Pierre, **ç'**aurait été vous.

d. Devant un superlatif:

Achetez ces pommes, **ce** sont les meilleures.
Vous auriez dû lui écrire, **ç'**aurait été le plus simple.

3. Ce (c', ç') est facultatif et peut être remplacé par **cela** quand il remplace une expression indéfinie:

Travaillons ensemble, **ce** sera plus facile.
Etre ou ne pas être, **c'**est la question.
S'il n'avait pas réussi, **ç'**aurait été une catastrophe.

On remarquera qu'avec tout verbe autre que le verbe **être**[1] il faut employer **ceci** ou **cela** (voir B, p. 102).

Même avec le verbe **être,**[1] **ceci** ou **cela** sont possibles pour remplacer une expression indéfinie, mais **ce (c', ç')** est habituel:

Travaillons ensemble, **ce** (**cela**) sera plus facile.

4. Quand le sujet réel du verbe **être**[1] est une proposition, on emploie très souvent **ce (c', ç')** pour la résumer et la mettre en relief:

Ce qui me ferait plaisir (**ce**) serait que vous veniez.
Savoir se taire (**c'**) est important pour réussir.

5. Quand deux ou plusieurs noms sont reliés par le verbe **être,**[1] ou emploie souvent **ce (c', ç')** pour mettre en valeur le nom ou les noms qui précèdent le verbe **être:**[1]

La surpopulation (**ce**) sera le grand problème du XXIe siècle.
L'exactitude (**c'**) est la politesse des rois.
Liberté, égalité, fraternité (**c'**) est la devise de la France.

103

D. On emploie souvent **ce** + **être**[1] + **qui** et **ce** + **être**[1] + **que** pour mettre une expression en valeur:

> **C'est** votre fils **qui** a reçu une bonne note.
> **Ce serait** Pierre **qui** pourrait vous aider.
> **C'est** demain **que** nous partons.
> **Est-ce** toi **que** j'ai entendu?

E. Sauf avec les pronoms **nous** et **vous**, le verbe **être**[1] est mis au pluriel quand l'attribut de **ce** est pluriel:

> Prenez ces deux romans, **ce sont** les plus intéressants.
> **Ce sont** elles qui souffrent le plus.
> Balzac et Hugo, **ce sont** deux grands écrivains.
>
> Mais: **C'est nous** qui partons. **Est-ce vous** qui restez?

NOTES

[1] Les règles indiquées pour l'usage de **ce** (**c'**, **ç'**) avec le verbe **être** s'appliquent aussi quand **être** est accompagné des verbes semi-auxiliaires **devoir** et **pouvoir**:

> S'il ne venait pas, **ce** pourrait être une catastrophe.
> S'il n'était pas venu, **ç'**aurait pu être une catastrophe.
> Regardez ce jeune homme; **ce** doit être Pierre Dupont.
> J'avais trouvé un livre, **ce** devait être le sien.

[2] Dans le cas d'un être humain, on peut remplacer **ce** par **il**, **ils**, **elle**, **elles**, selon le cas. Cet usage est rare:

> Regardez ce monsieur: **il** est un grand savant.
> Qui est cette jeune fille? **Elle** est la fiancée de Pierre.

DIFFICULTÉS DE TRADUCTION

1. Dans une expression de possession, on peut remplacer la chose possédée par le pronom démonstratif, afin d'éviter la répétition. Dans ce cas l'anglais exprime la possession sans mentionner la chose possédée:

> Trois voitures attendaient; **celle** de Pierre était la plus chère.
> *Three cars were waiting; Pierre's was the most expensive.*

Toutes les robes étaient en coton sauf **celle** de Marie.
All the dresses were made of cotton except Marie's.

2. Les pronoms démonstratifs modifiés par **ci** traduisent l'expression anglaise ***the latter***. Modifiés par **là**, ils traduisent ***the former***:

> *The French engineers and the English engineers disagreed. **The former** wanted to build a tunnel, **the latter** a bridge.*
>
> Les ingénieurs français et les ingénieurs anglais n'étaient pas d'accord. **Ceux-ci** voulaient construire un pont, **ceux-là** un tunnel.

---

35. Le pronom impersonnel (ou pronom neutre) *il*

A. Le pronom impersonnel **il** sert de sujet aux locutions et aux verbes impersonnels. (Voir 24, p. 64.)

B. Le pronom impersonnel **il** + **être**[1] marque l'heure:

> **Il est** maintenant midi, **il sera** donc bientôt l'heure de partir.

C. **Il** comme sujet apparent du verbe **être**. (Voir 24-2-*c*, p. 65):

> **Il** est étrange que Pierre soit en retard.
> **Il** ne sera possible de le voir qu'après quatre heures.[2]

NOTES

[1] Comme dans le cas du pronom démonstratif **ce** (voir Note[1], p. 104) le règle s'applique aussi lorsque le verbe **être** est accompagné d'un verbe semi-auxiliaire:

> **Il doit être** midi.
> **Il peut** parfois **être** difficile de dire la vérité.

[2] Dans les cas indiqués, la langue parlée remplace parfois **il** par **ce**. Cet usage est peu élégant. **Il** est un présentatif, c'est-à-dire que **il** annonce le sujet réel; **ce**, par contre, remplace un sujet impersonnel déjà exprimé:

Il est facile de comprendre cela.
C'est facile à comprendre.

Il est étrange que Pierre soit en retard.
Pierre est en retard; c'est étrange.

Il aurait été plus facile de travailler ensemble.
Travaillons ensemble: ce pourra être plus facile.

Il est facile de voyager lorsqu'on est riche.
Voyager lorsqu'on est riche, c'est facile.

DIFFICULTÉS DE TRADUCTION

1. Avec certains verbes, la langue écrite emploie il impersonnel pour introduire le sujet réel sous forme de nom:

Il arrive un jour où chacun juge sa propre vie. (Le sujet réel du verbe **arriver** est **un jour.** On peut dire aussi: Un jour arrive où. . . .)
Il existe des hommes qui n'ont pas de conscience. (Des hommes existent qui. . . .)

On remarque que le verbe s'accorde avec il impersonnel, non pas avec le sujet réel. La traduction anglaise sera:

There comes a day when each one must judge his own life.
There are men who have no conscience.

PARTIE B

36. L'adjectif possessif

A. L'adjectif possessif a les formes suivantes:

		UN SEUL POSSESSEUR		PLUSIEURS POSSESSEURS	
PERSONNES		UN SEUL OBJET POSSÉDÉ	PLUSIEURS OBJETS POSSÉDÉS	UN SEUL OBJET POSSÉDÉ	PLUSIEURS OBJETS POSSÉDÉS
1e pers. {	Masc.	**mon**	**mes**	**notre**	**nos**
	Fém.	**ma**			
2e pers. {	Masc.	**ton**	**tes**	**votre**	**vos**
	Fém.	**ta**			
3e pers. {	Masc.	**son**	**ses**	**leur**	**leurs**
	Fém.	**sa**			

B. L'adjectif possessif s'accorde en genre et en nombre avec le nom qu'il modifie, c'est-à-dire la personne ou la chose possédée. Au singulier, la forme féminine du possessif est remplacée par la forme masculine devant une voyelle ou une **h** muette:

mon livre   **mon** grand chapeau   **ton** courage   **tes** cousines
ma table   **ma** petite voiture   **ta** volonté   **ton** excellent vin
mes amis

Pierre est seul dans **sa** maison, dans **son** énorme maison.
Mon hôte et **mon** hôtesse sont sortis ensemble.

C. Les formes de la troisième personne du singulier s'emploient quand le possesseur est **on**:

On doit respecter **son** père et **sa** mère.
On ne reconnaît **ses** vrais amis que dans le malheur.
Qui vous a dit que l'on pouvait corriger **son** propre examen?

D. On doit répéter l'adjectif possessif devant chaque nom (ou chaque adjectif) si les noms qualifiés désignent des personnes ou des choses différentes:

> Je dois écrire à **ton** oncle, à **ta** tante et à **tes** cousines.
> Donnez-moi **mon** mouchoir, **ma** cravate et **mes** gants.
> Préférez-vous **votre** vieille ou **votre** nouvelle voiture?

On ne répète généralement pas l'adjectif possessif si les noms ou les adjectifs désignent la même chose ou la même personne:

> Je vous présente **mon** collègue et ami Pierre Dupont.
> Un ami a loué **leur** grande et belle maison.

E. On remplace souvent l'adjectif possessif par l'article défini, surtout lorsqu'il s'agit de parties du corps[1] (voir 26-D-2-*f*, p. 75).

NOTES

[1] On remplace souvent l'adjectif possessif par l'article défini lorsqu'il s'agit d'un vêtement et que l'on donne une description:

Il est rentré **la** cravate dénouée, **le** veston en loques, **la** chemise déchirée. (description)

On emploie cependant l'adjectif possessif pour décrire un geste, un mouvement:

Il a dénoué **sa** cravate, enlevé **son** veston et déboutonné **sa** chemise. (geste)

Le verbe **porter** peut indiquer à la fois une description (*to wear*) et un mouvement (*to carry*). On emploie l'adjectif possessif si l'on veut insister sur le mouvement, et l'article défini si l'on veut insister sur l'aspect descriptif:

Tous les soldats portaient **l'**uniforme et **le** képi. (*wore their...*)
Tous les soldats portaient **leur** uniforme et **leur** képi dans **leur** sac. (*carried their...*)

DIFFICULTÉS DE TRADUCTION

1. A la troisième personne du singulier, l'anglais distingue le genre de l'antécédent; ce n'est pas le cas en français:

sa taille: *his size, her size, its size, one's size*
son importance: *his importance, her importance, its importance, one's importance*

On peut éviter au besoin l'ambiguïté possible en ajoutant l'expression **à lui** ou **à elle** à l'adjectif possessif. Par exemple, dans la phrase:

Pierre était furieux parce que Marie avait pris **son** chapeau,

le contexte indique généralement s'il s'agit de *his hat* ou de *her hat*. Sinon, on peut spécifier:

... parce que Marie avait pris **son** chapeau **à lui**. (*his hat*)
... parce que Marie avait pris **son** chapeau **à elle**. (*her hat*)

2. Quand le possesseur est un objet inanimé, sa relation avec la chose possédée est souvent marquée par le pronom **en**. Cet usage appartient plutôt à la langue écrite:

Regardez ce tableau: les couleurs **en** sont remarquables. (*the colors of it*)
J'aimerais acheter cette voiture, mais le prix **en** est trop élevé. (*the price of it*)

Dans la langue parlée, on dirait plutôt:

Regardez ce tableau, **ses** couleurs sont remarquables.
J'aimerais acheter cette voiture, mais **son** prix est trop élevé.

Si le possesseur est une personne ou un animal, il faut employer l'adjectif possessif:

Regardez ce garçon: **son** intelligence est remarquable.
Voilà un aigle; **ses** ailes ont un mètre de long.

37. Le pronom possessif

A. Le pronom possessif a les formes suivantes:

		UN SEUL POSSESSEUR		PLUSIEURS POSSESSEURS	
PERSONNES		UN SEUL OBJET POSSÉDÉ	PLUSIEURS OBJETS POSSÉDÉS	UN SEUL OBJET POSSÉDÉ	PLUSIEURS OBJETS POSSÉDÉS
1e pers.	Masc.	le mien	les miens	le nôtre	les nôtres
	Fém.	la mienne	les miennes	la nôtre	
2e pers.	Masc.	le tien	les tiens	le vôtre	les vôtres
	Fém.	la tienne	les tiennes	la vôtre	
3e pers.	Masc.	le sien	les siens	le leur	les leurs
	Fém.	la sienne	les siennes	la leur	

B. Le pronom possessif s'accorde en genre et en nombre avec la personne ou la chose possédée:

Ma cousine a vingt ans, **la tienne** en a vingt-deux.

Comme ma voiture est en panne et que **la vôtre** est au garage, prenons **la leur**.

Mon chapeau est sale, **le tien** aussi, mais **les leurs** sont propres.

C. On remarquera que l'article défini est partie intégrante du pronom, et obéit aux règles de la contraction. (Voir 26-B, p. 73):

Je préfère mes amis **aux tiens**; je n'ai pas encore fait la connaissance **des vôtres**.

DIFFICULTÉS DE TRADUCTION

Certaines expressions idiomatiques se forment à partir des pronoms possessifs. Ainsi:

1. Les formes du masculin pluriel désignent les parents, les amis, les alliés:

Puisque vous ne voulez pas que je sois **des vôtres**, je retourne chez **les miens**.

*Since you don't want me **among you** (**to be one of you**), I am going back to my own people.*

La bataille fut longue, mais **les nôtres** finirent par vaincre.
*The battle was long, but we (**our side, our troops, our people**) finally won.*

Nous allons au cinéma; voulez-vous être **des nôtres**?
*We are going to the movies; will you **join us**?*

2. **Y mettre du sien** veut dire participer à une action:

J'y ai mis du mien, il faut que tu **y mettes du tien** aussi.
*I **put up my share** (of money, of good will, of effort), you must also*
*contribute (**share, participate, help**).*

3. **Faire + les formes du féminin pluriel** désigne des actions à
demi blamables, mais généralement pas très graves:

Ton professeur m'a écrit: il paraît que tu **as encore fait des tiennes.**
*Your teacher wrote me: it seems you **have been up to your tricks** again.*

Chaque fois qu'on laisse cet enfant seul il **fait des siennes.**
*Every time this child is left by himself, **he misbehaves.***

Ma voiture a recommencé à **faire des siennes.**
*My car started **acting up** again.*

ONZIÈME LEÇON

PARTIE A

38. Les pronoms personnels devant le verbe; les pronoms adverbiaux *en* et *y*

A. Le pronom personnel sujet:

1. Les formes du pronom personnel sujet sont: **je**,[1] **tu**, **il**, **elle**, **nous**, **vous**, **ils** et **elles**. Ce pronom précède généralement le verbe, avec les exceptions suivantes:

A l'interrogatif, il suit le temps simple:

> Connaissez-**vous** Monsieur Dupont?

A l'interrogatif dans un temps composé, il suit l'auxiliaire:

> Avez-**vous** visité Paris?

Dans une proposition incise, il suit le verbe:

> "Au revoir", dit-**il**, "je pars pour Paris."
> "Adieu", répondis-**je**, "faites bon voyage."
> "Et revenez vite," ajouta-t-**elle**.

Remarquer que lorsqu'il ne s'agit pas d'une proposition incise on dit:

Je répondis: "Adieu, faites bon voyage." Elle ajouta: "Et revenez vite."

2. Les formes du pronom personnel sujet sont invariables, quelle que soit leur position par rapport au verbe:

Tu connais Pierre.	Connais-**tu** Pierre?
Ils ont connu Pierre.	Ont-**ils** connu Pierre?

3. Le pronom personnel sujet **tu**:

Tu est la forme familière de la deuxième personne. Il n'y a pas de règles absolues qui en régissent l'emploi. On emploie généralement **tu** pour parler à un enfant, à un intime, à un proche parent, à un camarade d'école, entre soldats, entre travailleurs manuels. Les jeunes gens se tutoient plus facilement que les personnes âgées.

On emploie **tu** dans une apostrophe qui s'adresse à un objet ou à une abstraction:

Je **te** salue, vieil océan! (LAUTRÉAMONT)
Liberté! Que de crimes on commet en **ton** nom! (MME ROLAND)

Il ne faut pas oublier que le pluriel de **tu** est **vous**:

Pierre, **tu** es en retard; Jacques, **tu** es en avance; **vous** n'êtes à l'heure ni l'un ni l'autre.

B. Le pronom personnel complément d'objet direct:

1. Quand le pronom personnel complément d'objet direct précède le verbe, on emploie les formes conjonctives **me, te, le, la, nous, vous,** et **les:**[1]

Il **me** parle.	Qui **nous** écoute?
Je **te** regarde.	**Vous** a-t-il appelés?
Jacques **le** connaît.	Il ne **les** respecte pas.
Sa mère **la** gronde.	

2. Quand le pronom personnel complément d'objet direct suit le verbe, on emploie les formes conjonctives pour la troisième personne (**le, la, les**) et les formes toniques pour la première et la deuxième personnes (**moi, toi, nous, vous**). (Voir 39-A, p. 119):

Prends-**le.**	Ecoutez-**moi.**	Ecoutez-**nous.**
Prends-**la.**	Dépêche-**toi.**	Dépêchez-**vous.**
Prends-**les.**		

3. Le pronom personnel complément d'objet direct **le** remplace:

a. Un nom masculin de personne ou de chose:

Je connais Pierre et je **le** rencontre souvent.
Elle brosse son chapeau, car elle veut **le** mettre.

b. Une proposition:

Je sais que vous ne viendrez pas; je **le** sais bien. (**le** remplace **que vous ne viendrez pas**)
Il nous a demandé quelle heure il était, mais nous ne **le** savions pas. (**le** remplace **quelle heure il était**)

c. Un adjectif, quels que soient son nombre et son genre, surtout dans le deuxième terme d'une comparaison:

Jacques est courageux, mais son frère ne **l'**est pas.
Elle est moins fatiguée aujourd'hui qu'elle ne **le** sera demain.

C. Le pronom personnel complément d'objet indirect:

1. Quand le pronom personnel complément d'objet indirect précède le verbe, on emploie les formes conjonctives à la première et à la deuxième personnes (**me, te, nous, vous**) et les formes **lui** et **leur** à la troisième personne:

Il **me** donne cent francs.	Qui **nous** demande cela?
Je **te** parle, Henri.	**Vous** a-t-il répondu?
Jacques **lui** dit bonjour.	Elle ne **leur** plaît pas.

On remarquera qu'à la première et à la deuxième personnes du singulier et du pluriel, le pronom personnel qui précède le verbe a les mêmes formes, qu'il soit complément d'objet direct ou complément d'objet indirect. A la troisième personne, cependant, les formes sont différentes:

	COMPLÉMENT D'OBJET DIRECT	COMPLÉMENT D'OBJET INDIRECT
MASC. SING.	**le**	**lui**
FÉM. SING.	**la**	**lui**
MASC. PLUR.	**les**	**leur**
FÉM. PLUR.	**les**	**leur**

Où est Pierre? Je veux **le** voir et **lui** parler.
Tes parents sont très gentils: tu devrais **les** écouter et **leur** obéir.

2. Quand le pronom personnel complément d'objet indirect suit le verbe, on emploie les formes **moi, toi, lui, nous, vous, leur**:

Parlez-**moi**.	Parlez-**nous**.
Regarde-**toi**.	Regardez-**vous**.
Ecrivez-**lui**.	Ecrivez-**leur**.

'est pronoun following.

D. Le pronom personnel réfléchi:

Parley m'en.

1. Quand le pronom personnel réfléchi précède le verbe, ses formes sont **me, te, se, nous, vous, se:**[1]

Je **me** regarde.	Nous **nous** regardons.
Tu **te** changes.	Vous **vous** changez.
Il (Elle) **se** dépêche.	Ils (Elles) **se** dépêchent.

Va - t'en

2. Le pronom personnel réfléchi peut être le complément d'objet direct ou le complément d'objet indirect du verbe, sans changer de formes:

Elle **se** coiffe et **se** maquille.   (complément d'objet direct)
Elle **se** lave les mains et **se** nettoie les ongles avant de manger.
   (complément d'objet indirect)

3. Le pronom réfléchi peut avoir un sens réciproque. (Voir 12-F, p. 22.)

E. Le pronom adverbial **en:**

En général, le pronom adverbial **en** remplace une expression introduite par la préposition **de**. En particulier, il remplace:

1. Un nom introduit par la préposition **de**, sauf lorsqu'il s'agit d'une personne.

Il parle **de ce livre**; il **en** parle même souvent.   (chose)
Le paysan se sert **de ses chevaux**; il s'**en** sert pour labourer.   (animal)
Parlons **de votre travail**, et parlons-**en** sérieusement.   (idée)
Elle est fière **de sa beauté**; elle **en** est très fière.   (idée)
Mais: Il parle **de son fils**; il parle souvent **de lui**.   (personne)

2. Un nom introduit par un article partitif (voir 27-B, p. 78), même lorsqu'il s'agit d'une personne:

Si vous voulez **du lait**, je vous **en** vendrai. (chose)
Vous désirez connaître **des Français**? Je peux vous **en** présenter plusieurs. (personne)

3. Une proposition introduite par **de**:

Je suis content **de savoir que vous avez réussi**: j'**en** suis ravi.

4. Une expression de lieu introduite par **de**:

J'arrive **de France**; j'**en** arrive il y a deux jours.
"A quelle heure rentrez-vous **du lycée**?" "J'**en** rentre à quatre heures."

5. Le participe passé ne s'accorde pas avec **en** (voir 13-I, p. 26).

6. Pour l'emploi de **en** avec les expressions de quantité, voir 47-C, p. 144 et 51-C-3, p. 162.

F. Le pronom adverbial **y**:

En général, le pronom adverbial **y** remplace:

1. Un nom introduit par la préposition **à**, sauf lorsqu'il s'agit d'une personne:

Je répondrai **à sa lettre** et j'**y** répondrai tout de suite.
Pensez **à votre travail**, et pensez-**y** sérieusement.
Je crois **à l'honnêteté de cet homme**, j'**y** crois entièrement.
Mais: Je répondrai **à mon père** et je **lui** répondrai tout de suite.

2. Une proposition introduite par **à**:

Je pense **à ce que vous m'avez dit**; j'**y** pense même souvent.
Je tiens **à vous remercier**; j'**y** tiens beaucoup.

3. Un nom ou un pronom précédé d'une préposition qui indique le lieu (**à**, **dans**, **devant**, **derrière**, **sous**, **sur**, etc.):

Je vais **à Paris**, j'**y** vais pour trois semaines.
J'ai regardé **sur la table**: mon stylo n'**y** est pas.
Après avoir cherché dans mon bureau, j'ai cherché **dans le vôtre**: les papiers **y** étaient.

NOTES

[1] Devant une voyelle ou une **h** muette, **je, me, te, le, la** et **se** ont une forme élidée:

> **J'**aime, **j'**écoute, **j'**ignore, **j'**ose, **j'**habite.

> Il **m'**a téléphoné pour **m'**expliquer ce qu'il voulait.
> Je **t'**avais dit de **t'**habiller.
> **L'**a-t-il vu? Je **l'**ignore.
> Vous avez attendu Jacqueline parce que vous **l'**aimez.
> Avec lui, on peut **s'**attendre à tout; il n'aime qu'à **s'**amuser.

Les formes **tu, elle** et **lui** ne s'élident jamais.

Il n'y a pas contraction entre les prépositions **à** et **de** et les pronoms **le** et **les**:

> J'ai demandé **à le** voir, mais il n'est pas facile **de le** trouver.
> Nous avons cherché **à les** convaincre.
> Il essayait **de les** traduire en français.

DIFFICULTÉS DE TRADUCTION

1. Pour traduire le pronom anglais *myself, yourself*, etc. quand celui-ci est en apposition, on emploie le pronom personnel tonique auquel on adjoint l'adjectif **même**. (Voir 39, p. 119):

> *I do it myself.*
> Je le fais **moi-même**.

> *I will go see the president himself.*
> J'irai voir le président **lui-même**.

Mais quand *myself, yourself*, etc. est complément d'objet (direct ou indirect) du verbe on emploie les formes réfléchies:

> *You must watch yourself.*
> Tu dois **te** surveiller. (complément d'objet direct)

> *I buy myself a book.*
> Je **m'**achète un livre. (complément d'objet indirect)

2. L'adverbe anglais *there* se traduit en français par **y** quand le lieu a déjà été mentionné :

> *I am going to Paris and I shall stay **there** for a week.*
> Je vais à Paris et j'y resterai une semaine.

Si le lieu n'a pas été mentionné, *there* se traduit par **là** :

> *Is Mr. Dupont **there**?*
> Est-ce que M. Dupont est **là**?
>
> *Sit down **there**.*
> Asseyez-vous **là**.

PARTIE B

39. Les pronoms personnels toniques ou accentués

A. Les formes toniques ou accentuées du pronom personnel sont **moi, toi, lui, elle, soi, nous, vous, eux, elles.**

B. Ces formes s'emploient:

1. Après le verbe **être**, même accompagné d'un verbe semi-auxiliaire: *comme compliment de sujet .*

Ce **pourrait être lui** qui a sonné, mais c'est probablement **elle.**
C'est **toi** qui es coupable et c'est **nous** qu'on a punis ·

A la troisième personne du pluriel, on dit:

Ce **sont eux** qui sont coupables et ce **sont elles** qu'on a puni.

2. Après **ne + verbe + que**:

Elle n'aime que **lui.**
Nous n'attendons plus que **toi.**
Il n'y a pas que **nous** à être invités.

3. Après **que** dans une comparaison:

Cette fille est plus grande que **lui**, mais elle est aussi belle que **toi.**

4. Quand le sujet ou le complément d'objet du verbe se composent soit de deux pronoms, soit d'un pronom et d'un nom:

Eux et **moi** sommes les seuls à comprendre.
Nous avons invité **vous** et **lui.**
Les Dupont et **moi** sommes les seuls à comprendre.
Nous avons invité les deux étudiants et **lui.** ·

5. Après une préposition:[1]

Je veux aller avec **eux**, mais je n'irai pas sans **toi.**
Elle votera contre **lui**, car elle votera pour **moi.**
Je sortirai après **lui** pour aller chez **vous.**
Avez-vous entendu parler de **moi**?
Son opinion à **lui** ne compte pas. (met l'adjectif possessif en valeur) (Voir Diff. de trad. 1, p. 109.)
Leur décision à **elles**[2] n'est pas la nôtre.
Jésus a dit: "Laissez venir à **moi**[2] les petits enfants."

6. Seuls, sans verbe, ou devant une proposition relative:

Qui est là? **Moi.**
Qui veux-tu voir? **Toi.**
Moi, qui suis Français, je parle mieux l'anglais qu'**eux** qui sont Américains.

7. Pléonastiquement, pour mettre en valeur un pronom personnel non accentué:

Moi, je pars; **toi,** tu viens avec moi, et **elle,** elle reste.

8. Dans les cas examinés à 38-B-2, p. 113.

C. Il existe aussi la forme tonique **soi** qui renvoie à un sujet général (**chacun, nul, personne, on,** etc.):

Chacun travaille pour **soi.** (après une préposition)
Quand on n'a pas son opinion à **soi,** on écoute les autres. (met l'adjectif possessif en valeur)
Personne n'a peur d'un plus petit que **soi.** (après **que** dans une comparaison)

On peut renforcer la forme **soi** par l'adjonction de **même:**

Il ne faut pas parler tout le temps de **soi-même.**
Quiconque ne pense qu'à **soi-même** est un égoïste.

NOTES

[1] En général, on n'emploie pas le pronom tonique après une préposition lorsqu'il s'agit d'une chose et que l'on peut lui substituer une autre expression:

a. **De + pronom** (chose) = **en.** (Voir 38-E, p. 115):

Je parle de ce roman, j'**en** parle souvent. (chose)
Mais: Je parle de Pierre; je parle souvent **de lui.** (personne)

b. **A + pronom** (chose) = **y.** (Voir 38-F, p. 116):

Je pense à ce roman; j'**y** pense souvent. (chose)
Mais: Je pense à Pierre; je pense souvent **à lui.** (personne)

c. **Dans** + **pronom** (chose) = **y, dedans, là-dedans** :

> J'ai ouvert le tiroir et j'**y** ai trouvé mon livre.
> J'ai ouvert le tiroir et j'ai trouvé mon livre **dedans**.
> Qu'avez-vous trouvé **là-dedans** ?

d. **Sur** + **pronom** (chose) = **y, dessus, là-dessus** :
   Sous + **pronom** (chose) = **y, dessous, là-dessous** :

> J'ai cherché sur (sous) la table et j'**y** ai trouvé mon livre.
> J'ai cherché sur (sous) la table et j'ai trouvé mon livre **dessus**
> **(dessous)**.
> Qu'avez-vous trouvé **là-dessus (là-dessous)** ?

Mais on dit :

> N'oublie pas ton manteau, **sans lui** tu auras froid.
> Prends cette épée, **avec elle** tu n'auras rien à craindre.

[2] On remarquera que **à** + **pronom tonique** s'emploie uniquement lorsqu'il s'agit :

a. De verbes intransitifs indiquant le déplacement :

> Il vient à **nous**.   Il courut à **elle**.

b. D'une proposition dont le complément d'objet direct est **me, te, se, nous** ou **vous**. C'est le cas pour tous les verbes pronominaux :

> Je **me** fie à elle.
> Nous **nous** habituons à eux.
> Ils **se** sont rendus à nous.

Mais lorsque le complément d'objet direct est **le, la**, ou **les**, il faut employer les formes non accentuées du pronom :

> J'ai donné ce livre aux Dupont. Je **le leur** ai donné.
> Nous avons apporté cette corbeille à sa sœur. Nous **la lui** avons apportée.
> Avez-vous acheté ces chaussures à Marie ? **Les lui** avez-vous achetées ?

c. D'expressions idiomatiques dont les plus courantes sont :

Penser à :

> Si tu ne penses pas à **lui**, il ne pensera pas à **toi**.

Faire attention à:

> Fais attention à **eux**, ils te détestent.

Tenir à:

Je tiens à **eux**, parce qu'ils me sont sympathiques. (*I value them . . .*)

Etre à, qui indique la possession:

> Ce livre est à **moi**, il n'est pas à **toi**.

Ou le tour:

> C'est à **moi** de jouer, ce n'est pas à **eux**.
> (*It is my turn to play, it is not their turn.*)

DIFFICULTÉS DE TRADUCTION

1. Quand le pronom tonique est introduit par **de** dans une expression de quantité, on ajoute la préposition **entre** immédiatement après **de**:

    Five soldiers were wounded; two of them died.
    Cinq soldats ont été blessés; **deux d'entre eux** sont morts.

    Some of us disagree.
    Quelques-uns d'entre nous ne sont pas d'accord.

40. La place des pronoms personnels

A. Les pronoms personnels sujets (voir 38-A, p. 112).

B. Les pronoms personnels compléments d'objet se placent avant le verbe selon le schéma suivant:

SCHÉMA 1

me
te
se devant { le la les } devant { lui leur } devant y devant **en**
nous
vous

Exemples:

Je **vous la** donne.	Elle **vous** y conduira.
Tu **leur en** donnes.	Nous **les leur** donnerons.
Je **vous en** donnerai.	Il **y en** a trois.

Il y a deux cas où le schéma ci-dessus ne s'applique pas:

1. Si le complément d'objet direct est **me, te, se, nous** ou **vous**, le complément d'objet indirect est exprimé par **à** + **pronom tonique.** (Voir Note[2], p. 121):

> Elle **se** présente **à eux**.
> Je **te** recommanderai **à elles**.

2. A l'impératif affirmatif,[1] le schéma devient:

SCHÉMA 2

verbe devant $\left\{\begin{array}{l}\textbf{compl.}\\ \textbf{d'objet}\\ \textbf{direct}\end{array}\right\}$ devant $\left\{\begin{array}{l}\textbf{compl.}\\ \textbf{d'objet}\\ \textbf{indirect}\end{array}\right\}$ devant **y** devant **en**

Exemples:

> Donnez-**les-moi**!   Prêtez-**la-lui**!   Achète-**le-nous**!

On remarquera que **y** et **en**, quelle que soit leur fonction, se placent toujours après les autres pronoms:

Je n'ai plus d'argent; donnez m'**en**.
Prenez ces lettres, allez au bureau de poste et postez-les-**y**.

Les formes des pronoms personnels compléments d'objet restent les mêmes que dans le Schéma 1, avec deux exceptions:

a. Sauf devant **y** et **en**, **me** est remplacé par **moi**, et **te** est remplacé par **toi**:

> Donne-les **moi**!   Dépêche-**toi**!
> Donne m'**en**!   Occupe t'**en** tout de suite!

b. La règle indiquée au numéro 1 ci-dessus s'applique aussi à l'impératif affirmatif. Si le complément d'objet direct est me (moi), te (toi), **nous** ou **vous**, le complément d'objet indirect est exprimé par **à** + **pronom tonique**:

> Présentez-**vous à eux**.
> Présentez-**moi à eux**.
> Présentez-**nous à elles**.

NOTES

[1] Dans le cas de l'impératif négatif, c'est le Schéma 1 qui s'applique. Comparer:

IMPÉRATIF AFFIRMATIF (SCHÉMA 2)	IMPÉRATIF NÉGATIF (SCHÉMA 1)
Donnez-les-moi!	Ne me les donnez pas!
Donnez-m'en!	Ne m'en donnez pas!
Donne-les-moi!	Ne me les donne pas!
Dépêche-toi!	Ne te dépêche pas!
Présentez-moi à eux!	Ne me présentez pas à eux!
Allez-y!	N'y allez pas!

Pour les changements orthographiques de l'impératif devant **y** et **en**, voir 2-B, p. 4. Remarquer qu'à l'impératif affirmatif les pronoms personnels compléments d'objet sont unis au verbe par un trait d'union, sauf **m'** et **t'** devant **y** et **en**.

DOUZIÈME LEÇON

PARTIE A

41. Le pronom relatif

A. Le pronom relatif a les formes suivantes :

	POUR REMPLACER UNE PERSONNE	POUR REMPLACER UNE CHOSE[1]	POUR REMPLACER UNE EXPRESSION
SUJET	qui[2]	qui[2]	ce qui
COMPLÉMENT D'OBJET	que[2]	que[2]	ce que
COMPLÉMENT PRÉPOSI-TIONNEL	qui lequel lesquels laquelle lesquelles	lequel lesquels laquelle lesquelles	(ce) + prép. + quoi

Quand le pronom relatif est complément de la préposition **à**, il présente des formes contractées. Comme complément de la préposition **de**, il présente la forme spéciale **dont** aussi bien que des formes contractées :

	POUR REMPLACER UNE PERSONNE	POUR REMPLACER UNE CHOSE[1]	POUR REMPLACER UNE EXPRESSION
COMPLÉMENT DE LA PRÉPOSI-TION **à**	à qui auquel à laquelle auxquels auxquelles	auquel à laquelle auxquels auxquelles	(ce) à quoi

125

	POUR REMPLACER UNE PERSONNE	POUR REMPLACER UNE CHOSE[1]	POUR REMPLACER UNE EXPRESSION
COMPLÉMENT DE LA PRÉPOSITION de	dont, de qui duquel de laquelle desquels desquelles	dont duquel de laquelle desquels desquelles	ce dont ce de quoi

B. On remarquera que les formes du pronom relatif sujet sont les mêmes, qu'il remplace une personne ou une chose:

> Le garçon **qui** entre est mon frère.
> La maison **qui** a brûlé était en bois.

Les formes du pronom relatif complément d'objet sont également les mêmes, qu'il remplace une personne ou une chose:

> La jeune fille **que** vous voyez est ma sœur.
> L'hôtel **que** nous habitons est en brique.

C. Comme complément prépositionnel (de toutes les prépositions sauf **de**), on emploie généralement **qui**, et plus rarement **lequel, laquelle, lesquels, lesquelles**[3] pour remplacer une personne. On emploie uniquement **lequel, laquelle**, etc. pour remplacer une chose:

> Le monsieur avec **qui** (**lequel**) vous déjeunerez est avocat.
> La jeune fille pour **qui** (**laquelle**) vous achetez des fleurs est ma cousine.
> Les arbres entre **lesquels** se trouve la cabane sont des pins.
> Les valises dans **lesquelles** se trouvaient mes habits ont été perdues.
> Les étudiants à **qui** (**auxquels**) vous parlez sont américains.
> Les voitures **auxquelles** il pense sont trop chères.

D. Quand le pronom relatif est complément de la préposition **de**, on peut généralement employer la forme **dont**, qui contient à la fois la préposition **de** et le pronom relatif. La forme **dont** est rarement obligatoire, et peut généralement être remplacée par les autres formes équivalentes. Il est cependant préférable d'employer **dont** lorsque cela est possible:

> L'étudiant **dont** (**de qui, duquel**) vous connaissez la sœur est intelligent.
> La voiture **dont** (**de laquelle**) il m'a parlé est trop chère.

Les habits **dont (desquels)** cette valise est pleine sont à moi.

Les étudiants que vous avez rencontrés chez moi et **dont (de qui, desquels)** je vous avais parlé sont partis.

Les belles tomates à cinq francs le kilo **dont (desquelles)** j'ai acheté une douzaine n'étaient pas mûres.

Dont ne peut pas remplacer **de qui, duquel**, etc. lorsque ces pronoms relatifs suivent un nom introduit par une préposition et qui a un rapport de possession avec l'antécédent du pronom relatif:

Voici la dame avec la fille **de qui (de laquelle)** vous avez dansé.

De qui suit **la fille**, introduit par la préposition **avec**. **La fille** a un rapport de possession avec l'antécédent **la dame**. (La fille de la dame.)

Les arbres à l'ombre **desquels** nous sommes assis sont des pins.

Desquels suit **l'ombre**, introduit par la préposition **à**. **L'ombre** a un rapport de possession avec l'antécédent **les arbres**. (L'ombre des arbres.)

Le député contre le discours **de qui (duquel)** nous avons protesté est breton.

De qui suit **le discours** introduit par la préposition **contre**. **Le discours** a un rapport de possession avec l'antécédent **le député**. (Le discours du député.)

Mais on peut dire:

Les étudiants que vous avez rencontrés chez ma tante et **dont** vous ne connaissez pas l'adresse habitent Paris.

Il n'y a pas de rapport de possession entre **tante** et **étudiants**.

On peut aussi dire, bien que ce ne soit guère élégant:

Voici la dame **dont** vous avez dansé avec la fille.

Dont ne suit pas le nom **la fille**.

E. Quand le pronom relatif remplace une expression indéterminée (c'est-à-dire une idée et non pas un nom), on emploie les formes ce qui pour le sujet, **ce que** pour le complément d'objet, (ce) + **préposition** + **quoi** pour le complément prépositionnel et **ce dont** (ce de quoi) pour le complément de la préposition **de**:

Il avait déchiré son veston, **ce qui** l'ennuyait beaucoup.
Je viens vous demander un service, **ce que** je n'ai jamais encore fait.
Vous allez manger, **après quoi** nous parlerons.
Elle n'a pas voulu me parler, **ce dont** (ce de quoi) je m'étonne.

F. **Où** remplace souvent **à, sur, dans, sous** et autres prépositions de lieu + **pronom relatif**:

Le poème **où** (**dans lequel**) se trouve ce vers est de Baudelaire.
La table **où** (**sur laquelle**) j'ai mis mon chapeau est en bois.
La ville **où** (**dans laquelle**) vous allez est encore loin.
Les tentes **où** (**sous lesquelles**) nous avons dormi sont en nylon.

On dit aussi:

C'était le temps **où** (**pendant lequel**) Louis XIV régnait.

NOTES

[1] En ce qui concerne le pronom relatif, les animaux sont générale-ment considérés comme des choses:

De quelle race est le chien avec **lequel** vous chassez?
Voici les vaches **auxquelles** le vétérinaire a fait des piqûres.

[2] On peut exceptionnellement employer les formes **lequel, laquelle** etc. comme sujet ou comme complément d'objet, lorsqu'elles permettent d'éviter une ambiguïté:

Ce soldat sert dans la 3ᵉ compagnie du 7ᵉ régiment, **qui** (le régiment? la compagnie?) a un chef héroïque.

Ce soldat sert dans la 3ᵉ compagnie du 7ᵉ régiment, **lequel** (le régiment) a un chef héroïque.

Ce soldat sert dans la 3ᵉ compagnie du 7ᵉ régiment, **laquelle** (la compagnie) a un chef héroïque.

[3] **Lequel, laquelle,** etc. sont cependant obligatoires après les prépositions **entre** et **parmi.** On ne peut pas employer **qui** :

Les deux gendarmes **entre lesquels** se trouvait l'accusé portaient le revolver.
Connaissez-vous ces personnes **parmi lesquelles** je vois tant d'hommes célèbres ?

DIFFICULTÉS DE TRADUCTION

1. Le pronom relatif doit toujours être exprimé en français, même s'il ne l'est pas en anglais :

    The girl you see is my sister.
    La jeune fille **que** vous voyez est ma sœur.
    The house I bought is made of wood.
    La maison **que** j'ai achetée est en bois.

2. On invertit souvent le sujet et le verbe dans des propositions relatives courtes, surtout lorsque le verbe est modifié et qu'il s'agit d'un temps simple :

    Les conférences **que** fait le Professeur Dupont sont intéressantes.
    Les abus **contre lesquels** protestaient les membres de la commission étaient intolérables.

3. Après **dont,** l'ordre normal est sujet, verbe, complément :

    The student whose sister you know is my friend.
    L'étudiant **dont** vous connaissez la sœur est mon ami.

4. On emploie généralement **dont** pour indiquer l'origine quand il s'agit de personnes, de familles, de peuples, etc. :

    La famille **dont** il descend est fameuse.
    The family from which he is descended is famous.
    La tribu **dont** ce guerrier sort est puissante.
    The tribe from which this warrior comes is powerful.

Quand il s'agit d'un lieu géographique, on emploie **d'où** :

> Le pays **d'où** il vient est en Asie centrale.
> *The country from which* (*whence*) *he comes is in central Asia.*

5. Il faut prendre soin d'accorder le verbe d'une proposition relative avec l'antécédent du pronom relatif :

> C'est moi qui **suis** l'étudiant dont vous parlez.
> C'est nous qui **sommes partis** les premiers.

---

42. Le pronom interrogatif

A. Le pronom interrogatif présente des formes simples et des formes composées. Les formes simples du pronom interrogatif varient selon leur fonction :

		PERSONNES	CHOSES
INTERROGATION DIRECTE	sujet	**qui**	**qu'est-ce qui**
	complément d'objet	**qui**	**que**[1]
	complément prépositionnel	**qui**	**quoi**
INTERROGATION INDIRECTE[2]	sujet	**qui**	**ce qui**
	complément d'objet	**qui**	**ce que**
	complément prépositionnel	**qui**	{ **(ce) + prép. + quoi**
	complément de **de**	**qui**	{ **ce dont** / **(ce) de quoi**

B. Remarquer que l'on emploie toujours **qui** pour les personnes. Les exemples ci-dessous illustrent les différents cas possibles :

> **Qui** frappe à la porte ?
> **Qui** avez-vous rencontré ?
> A **qui** (**de qui, pour qui, contre qui**, etc.) parlez-vous ?
> Dites-moi **qui** frappe à la porte.
> Dites-moi **qui** vous avez rencontré.
> Je ne sais pas à **qui** (**avec qui, pour qui, contre qui**, etc.) vous parlez.
> Je me demande **de qui** vous parlez.

C. Les formes employées pour les choses varient selon leur fonction.
Les exemples ci-dessous illustrent les différents cas possibles:

> **Qu'est ce qui** coûte si cher?
> **Qu'**avez-vous acheté?
> **A quoi** pensez-vous?
> **Avec quoi** travaille-t-il?
> Je me demande **ce qui** fait ce bruit.
> Je me demande **ce que** vous avez acheté.
> Je me demande **ce à quoi** (**à quoi**) il s'intéresse.
> Je comprends **ce dont** (**ce de quoi**) il parle.

D. La forme **quoi**, utilisée seule est exclamative et interrogative:

> **Quoi!** Vous êtes déjà là!
> **Quoi?** Que dites-vous?

E. Dans les interrogations directes, le pronom interrogatif a aussi
des formes renforcées, qui appartiennent à la langue parlée.
Ces formes sont construites par l'adjonction de **est-ce qui** au
pronom interrogatif sujet, et de **est-ce que** au pronom interrogatif complément d'objet et complément prépositionnel. Avec
ces formes, l'inversion du sujet et du verbe disparaît.

> **Qui est-ce qui** frappe à la porte?
> **Qui est-ce que** vous avez rencontré?
> **A qui est-ce que** vous parlez?
> **Qu'est-ce qui**[3] coûte si cher?
> **Qu'est-ce que** vous avez acheté?
> **A quoi est-ce que** vous pensez?
> **Avec quoi est-ce qu'**il travaille?

Remarquer bien que les formes renforcées s'emploient uniquement dans les interrogations directes. Elles ne doivent pas être
employées dans les interrogations indirectes.

F. Les formes composées du pronom interrogatif: **lequel, laquelle,
lesquels, lesquelles** sont les mêmes que les formes composées
du pronom relatif (voir 41, p. 125). Ces formes remplacent
toujours un nom qui vient d'être mentionné, ou qui va l'être.
Elles aussi peuvent être renforcées (voir E ci-dessus). Elles
s'accordent avec ce nom:

	MASCULIN		FÉMININ	
	SINGULIER	PLURIEL	SINGULIER	PLURIEL
Sujet Complément d'objet Complément prépositionnel	lequel	lesquels	laquelle	lesquelles
Complément de la préposition **de**	duquel	desquels	de laquelle	desquelles
Complément de la préposition **à**	auquel	auxquels	à laquelle	auxquelles

Voici trois chapeaux; **lequel** est le plus cher? (**lequel est-ce qui** est le plus cher?)

De toutes ces voitures, **laquelle** préférez-vous? (**laquelle est-ce que** vous préférez?)

Il y a trois étudiants ici, **auquel** voulez-vous parler? (**auquel est-ce que** vous voulez parler?)

Dites-moi **desquels** de ces jeunes gens vous avez fait la connaissance.

NOTES

[1] Devant une voyelle ou une **h** muette, **que** s'élide en **qu'**; **qui** ne s'élide jamais:

> **Qu'**avez-vous dit?
> Je me demande ce **qu'**il veut.
> **Qui** a dit cela?

[2] Une interrogation indirecte est une question contenue dans proposition déclarative:

> Qui êtes-vous? (interrogation directe)
> Dites-moi qui vous êtes. (interrogation indirecte)

[3] Il n'y a pas de forme simple qui corresponde à **qu'est-ce qui**.

PARTIE B

43. L'adjectif interrogatif

A. L'adjectif interrogatif s'accorde avec le nom auquel il se rapporte. Ses formes sont:

    quel (masculin singulier)   **quels** (masculin pluriel)
    quelle (féminin singulier)   **quelles** (féminin pluriel)

    Quel chapeau préférez-vous?
    Quelle heure est-il?
    Quels livres avez-vous lus?
    Quelles sont les dimensions de votre chambre?

B. On peut employer l'adjectif interrogatif comme sujet du verbe **être**, sauf lorsqu'il s'agit d'une personne:

    Quel est votre avis?   **Quelles** sont vos préférences?

Lorsqu'il s'agit d'une personne on emploie le pronom interrogatif **qui**.[1] (Voir 42, p. 130):

    Qui est votre meilleur ami?   **Qui** aurait dû être président?

C. On emploie l'adjectif interrogatif dans les interrogations indirectes:

    Je voudrais que vous me disiez **quelle** voiture vous préférez.
    Nous ne savons pas **quel** chemin est le plus court.

NOTES

[1] On peut cependant employer l'adjectif interrogatif comme sujet du verbe **être** lorsqu'on interroge sur la qualité (plutôt que sur l'identité) d'une personne:

Quel est cet homme?
    C'est un de nos amis.
    C'est le médecin de la famille.
    C'est celui dont je vous ai parlé.
    C'est un héros.

Qui est cet homme?
    C'est Monsieur Dupont.
    C'est le docteur Dupont.

DIFFICULTÉS DE TRADUCTION

1. Quand il se rapporte à une personne, l'adjectif interrogatif **quel** peut souvent se traduire par *what, what kind of,* ou *what manner of*:

    > **Quels** sont ces soldats? Ce sont des fantassins.
    > *What kind of soldiers are these? They are infantrymen.*
    >
    > **Quelles** sont ces jeunes filles? Ce sont des infirmières.
    > *What girls are these? They are nurses.*

2. Quand on s'attend à une définition, *what is* se traduit par la forme **qu'est-ce que c'est que?** ou plus rarement, par **qu'est-ce que?**:

    > **Qu'est-ce que c'est qu'**un képi?⎫
    > **Qu'est-ce qu'**un képi?   ⎬ Un képi est un chapeau militaire.
    >
    > **Qu'est-ce que c'est qu'**une charrue?⎫
    > **Qu'est-ce qu'**une charrue?   ⎬ C'est un instrument agricole.

    Quand il s'agit d'une interrogation indirecte, on emploie **ce que c'est que** ou, plus rarement, **ce qu'est**:

    > J'ignore **ce que c'est qu'**un képi.
    > Il cherche à savoir **ce qu'est** la micro-biologie.

3. L'adjectif interrogatif a aussi une valeur exclamative. Dans ce cas, on le traduit généralement par *what a*:

    > **Quel** plaisir de vous voir!
    > *What a pleasure to see you!*
    >
    > **Quelle** bonne idée!
    > *What a good idea!*
    >
    > **Quels** beaux chevaux!
    > *What beautiful horses!*

4. L'expression **tel quel** (**tels quels, telle quelle, telles quelles**) veut dire **sans changements**:

    > Voulez-vous emporter cette table **telle quelle**, ou voulez-vous que je la vernisse?
    > *Do you want to take this table **as is**, or would you like me to varnish it?*

---

44. Les pronoms indéfinis*

A. Le pronom indéfini **chacun, chacune** correspond à l'adjectif indéfini **chaque**. (Voir 32-D, p. 97):

Il y avait une centaine de femmes à ce bal et **chacune** portait un collier de perles. (*each one*)

Chacun de nous savait ce qu'il devait faire. (*Each one*)

Chacun veut aussi dire **tout le monde,** chaque personne en général. Dans ce cas, il est toujours masculin singulier:

Chacun fait ce qu'il croit juste. (*Each man, Everyone*)

B. Le pronom indéfini **quelqu'un, quelqu'une,**[1] **quelques-uns, quelques-unes** correspond à l'adjectif indéfini **quelque** (voir 32-C, p. 96). Au singulier, ce pronom ne s'applique qu'aux personnes. Au pluriel, il s'applique aux personnes et aux choses:

Il semblait attendre **quelqu'un.** (*someone*)

Il était avec **quelqu'un** de ses amis. ([*some*]*one*)

A la gare, **quelques-uns** arrivaient, d'autres attendaient. (*some* [*people*])

Parmi ses tableaux, **quelques-uns** sont magnifiques. (*some* [*of them*], *a few* [*of them*])

Il ne connaît que **quelques-unes** des étudiantes. (*some of, a few of*)

Quelques-uns, quelques-unes est une expression de quantité, employé avec l'article partitif. A la forme pronominale, il exige donc **en:**

J'ai vu **quelques-unes** de ses amies; j'**en** ai vu **quelques-unes.** (*some* [*of them*], *a few* [*of them*])

Avez-vous des livres d'art? Oui, j'**en** ai acheté **quelques-uns.** (*some* [*of them*], *a few* [*of them*])

Le pronom **quelque chose** correspond au pronom indéfini **quelqu'un, quelqu'une** et s'emploie pour les choses:

Il semblait attendre **quelque chose.** (*something*)

Je voudrais manger **quelque chose** de bon. (*something*)

*Voir les adjectifs indéfinis, 32, p. 96.

C. Le pronom indéfini **tout, toute, tous, toutes** correspond à l'adjectif indéfini qui a les mêmes formes (voir 32-J, p. 98). Il indique la totalité de ce à quoi il se réfère:

> Ce garçon croit qu'il sait **tout**. (*everything*)
> Mes amis étaient **tous** là. (*all*)

Seule la forme **tout** peut s'employer comme complément d'objet sans être en apposition à un autre pronom complément d'objet:

Il comprend **tout**. (complément d'objet direct)

Il s'intéresse à **tout**. (complément d'objet indirect)

Connaissez-vous ces jeunes filles? Oui, je **les** connais **toutes**. (en apposition à **les**)

Notre médecin **nous** a donné à **tous** des médicaments. (en apposition à **nous**)

Dans les temps composés **tout, toute, tous, toutes** complément d'objet est généralement placé entre le verbe auxiliaire et le participe passé, lorsqu'il n'est pas introduit par une préposition:

> Il a **tout** compris.
> Ils se sont **tous** trompés.

> Mais: Ils se sont intéressés **à** tout.

Quand **tout** est suivi d'un pronom relatif, c'est généralement de **ce qui** ou **ce que**. (Voir 41-E, p. 127):

> Fais tout **ce qui** te plaît.
> Fais tout **ce que** tu veux.

Tous pronom se prononce "tousse". **Tous** adjectif se prononce "tou" (voir 32-J-3, p. 98).

D. Le pronom indéfini **autre** correspond à l'adjectif indéfini **autre** (voir 32-F, p. 97). Il s'emploie toujours avec un article. Précédé de l'article indéfini, il veut dire: un individu quelconque, différent d'un individu déjà désigné, ou de celui qui parle:

Il a décidé de partir, **un autre**, à sa place, serait resté. (*someone else, another*)

C'est elle qui a fait le travail, mais c'est **une autre** qui a été payée. (*another* [*woman*])

Précédé de l'article défini, il s'oppose à **l'un** ou, au pluriel, à **les uns**:

L'un est parti, **l'autre** est resté. (*The one . . . the other*)
Voici deux cravates, **l'une** est chère, **l'autre** est bon marché. (*the one . . . the other*)
Les uns travaillent, **les autres** se reposent. (*Some . . . some* [*others*])

E. Le pronom indéfini **plusieurs** correspond à l'adjectif indéfini **plusieurs** (voir 32-G, p. 97) et veut dire: un assez grand nombre. Il est invariable:

J'ai invité tous mes amis; **plusieurs** ont refusé de venir. (*several*)
Il a des cravates en soie; il en a même **plusieurs**. (*several*)

F. Le pronom indéfini **on** s'emploie uniquement comme sujet. Il est toujours de la troisième personne singulier, généralement masculin. Il désigne d'une manière générale, une ou plusieurs personnes.

Les emplois de **on** sont très variés:

1. On indéterminé remplace les pronoms personnels de la troisième personne. Dans ce cas, il se rapproche de **quelqu'un** ou de **n'importe qui**.

On a construit une maison. (**Quelqu'un** a) (Dans cette phrase, toute l'importance est donnée à l'action; la personne ou les personnes qui font l'action ne sont pas importantes.)
C'est merveilleux! **On** a découvert un médicament qui guérit le cancer.
On m'a dit que l'**on**[2] va augmenter le prix des billets d'avion.
On ne fait pas toujours ce que l'**on**[2] veut. (n'importe qui en général . . .) (Dans cette phrase **on** veut dire: l'humanité en général.)

On l'emploie dans ce sens pour énoncer des maximes:

On a souvent besoin d'un plus petit que soi. (LA FONTAINE)
On obéit facilement à la personne qu'**on** aime. (MME MONTMARSON)

2. On déterminé peut remplacer n'importe quel pronom personnel, quand, pour une raison ou pour une autre, on ne veut pas désigner plus explicitement:

137

Monsieur, **on** vous aime.   (Par pudeur, au lieu de **je** vous aime.)
Alors, **on** vient enfin voir ses amis.   (Ironiquement, au lieu de **tu** viens . . . **vous** venez . . .)
On m'a dit qu'**on** ne voulait plus me voir.   (Ironiquement, au lieu de **il, elle**, m'a dit . . .)

3. Quand **on** est nettement déterminé, les accords se font, bien que le verbe reste toujours à la troisième personne du singulier :

A quatre heures, **on** était habillées et prêtes à sortir.   (**On** désigne un féminin pluriel.)

4. Le pronom complément d'objet qui correspond à **on** est **te** ou **vous** :

Dans cet hôtel, on **te** sert le petit déjeuner au lit.
Je reviens d'Espagne : les gens **vous** y traitent avec courtoisie.

5. **On** peut s'employer pour éviter le passif (voir 14-F, p. 30).

NOTES

[1] **Quelqu'une** est rare, et toujours suivi d'un **de** partitif :

Elle était avec **quelqu'une** de ses amies.

On dirait plutôt :

Elle était avec $\left\{\begin{array}{l}\text{une de ses amies.}\\ \text{une dame qui semblait être son amie.}\\ \text{une amie.}\\ \text{etc.}\end{array}\right.$

[2] Pour des raisons phonétiques, après **si, où, que** et **et, on** peut être précédé de **l'**, sauf devant **le, la** et **les** :

Si **l'on** est snob, on achète des livres que **l'on** ne lira pas.
On mangera où **l'on** pourra, et **l'on** mangera vite.

Mais :   Si **on** le veut, on achètera des fruits et **on** les mangera.

Cet emploi du **l'** appartient surtout à la langue écrite.

DIFFICULTÉS DE TRADUCTION

1. **On** peut être traduit en anglais de plusieurs façons; le contexte
permet de choisir celle qui convient le mieux:

En France, **on** mange des escargots.

In France, $\begin{cases} \textit{one eats snails.} \\ \textit{people eat snails.} \\ \textit{a man eats snails.} \\ \textit{you eat snails.} \\ \textit{we eat snails.} \\ \textit{they eat snails.} \\ \textit{snails are eaten.} \end{cases}$

TREIZIÈME LEÇON

❧❦❧

PARTIE A

45. L'adverbe

A. L'adverbe modifie un verbe, un adjectif ou un autre adverbe:

Nous allons **quelquefois** au théâtre.   (Modifie le verbe **aller**).
Ce garçon a une sœur **vraiment** jolie.   (Modifie l'adjectif **jolie**).
Nous allons **très** rarement au cinéma.   (Modifie l'adverbe **rarement**).

B. On distingue les adverbes de manière (qui répondent à la question **comment**?), de quantité (qui répondent à la question **combien**?), de lieu (qui répondent à la question **où**?), de temps (qui répondent à la question **quand**?):

manière: **bien, mal, lourdement, catégoriquement**, etc.
quantité: **assez, très, aussi, trop, peu**, etc.
lieu: **dehors, devant, ici, où, partout, loin**, etc.
temps: **demain, ensuite, quelquefois, toujours**, etc.

C. La majorité des adverbes de manière se forment par l'adjonction du suffixe **-ment** au féminin singulier de l'adjectif, ou au masculin singulier terminé en **e** muet:

	bonne	grande	calme	
	bonne**ment**	grande**ment**	calme**ment**	
Mais:	précise	profonde	énorme	aveugle
	précisé**ment**	profondé**ment**	énormé**ment**	aveuglé**ment**

D. Pourtant, si le masculin singulier de l'adjectif se termine par **ai**, **é**, **i**, ou **u**, il forme directement l'adverbe par l'adjonction du suffixe **-ment**:

vrai	obstiné	joli	éperdu
vrai**ment**	obstiné**ment**	joli**ment**	éperdu**ment**

E. Quand le masculin singulier de l'adjectif a **-ant** pour terminaison, on forme l'adverbe en remplaçant cette terminaison par le suffixe **-amment**:

indépend**ant**	puiss**ant**
indépend**amment**	puiss**amment**

F. Quand le masculin singulier de l'adjectif a **-ent** pour terminaison, on forme l'adverbe en remplaçant cette terminaison par le suffixe **-emment**:

dé**cent**	intellig**ent**
dé**cemment**	intellig**emment**

---

46. La comparaison de l'adverbe et la place de l'adverbe

A. La comparaison de l'adverbe:

1. La comparaison de l'adverbe se fait sur le même modèle que la comparaison de l'adjectif (voir 31, p. 93). Cependant, comme l'adverbe est invariable, l'article défini qui accompagne le superlatif est toujours masculin:

Comparatif d'égalité:	**si, aussi**	
Comparatif de supériorité:	**plus**	aimablement
Comparatif d'infériorité:	**moins**	
Superlatif:	**le plus, le moins**	

2. Certains adverbes se comparent de façon irrégulière. (Comparer à Note[1], p. 94):

	COMPARATIF	SUPERLATIF
beaucoup	plus	le plus
mal	plus mal	le plus mal
	pis	le pis
bien	mieux	le mieux
peu	moins	le moins

141

B. Il n'y a guère de règles absolues en ce qui concerne la place de l'adverbe. De façon générale, on peut dire que l'adverbe qui modifie un verbe se place immédiatement après un temps simple, et, quand il s'agit d'un temps composé, entre le verbe auxiliaire et le participe passé :

> La rivière coulait **lentement** sous le pont.
> Je comprends **parfaitement** votre inquiétude.
> L'accusé a **obstinément** refusé les conseils de l'avocat.
> Votre roman a **vraiment** eu du succès.

Cependant, pour mettre l'adverbe en valeur, on peut souvent le placer soit au début, soit à la fin de la phrase :

> **Lentement** la rivière coulait sous le pont.
> La rivière coulait sous le pont **lentement**.
>
> **Obstinément** l'accusé a refusé les conseils de l'avocat.
> L'accusé a refusé les conseils de l'avocat **obstinément**.

C. La plupart des adverbes de temps tels que **tôt**, **tard**, **aujourd'hui**, **autrefois**, **maintenant**, **d'abord**, **ensuite**, etc. et de lieu tels que **ici**, **là**, **partout**, **ailleurs**, etc. peuvent se placer soit avant soit après le verbe :

jamais entre le sujet et le verbe.

> Je comprends **maintenant** votre inquiétude.
> Il refuse **d'abord, ensuite** il accepte.
> Nous habitons **ici** mais nous travaillons **là-bas**.
> **Ailleurs** tu seras plus heureux.
> Il cherche **partout** le chapeau qu'il a perdu.

D. Les adverbes de temps et de lieu suivent généralement le participe passé, dans un temps composé :

J'ai beaucoup travaillé **hier** et je ne pourrai pas travailler **demain**.
Nous l'avons cherché **partout** et nous l'avons trouvé **là-bas**.

Cependant, les adverbes de temps **toujours**, **souvent**, et **déjà** se placent généralement avant le participe passé, et l'adverbe de temps **puis** avant le sujet du verbe :

> J'ai **toujours** pensé à lui et je lui ai **souvent** écrit.
> Il a **déjà** réussi à trouver un poste intéressant.
> Nous sommes allés au cinéma, **puis** nous avons pris un café.

E. Quand ils sont placés au début de la phrase, certains adverbes entraînent l'inversion du sujet et du verbe. Comparez:

> Vous m'avez **peut-être** mal compris.
> **Peut-être** m'avez-vous mal compris.
>
> Il devra **du moins** s'excuser.
> **Du moins** devra-t-il s'excuser.
>
> J'avais **à peine** fini qu'il fallait recommencer.
> **A peine** avais-je fini qu'il fallait recommencer.

(Voir Diff. de trad. 2, ci-dessous.)

F. Les adverbes qui modifient un adjectif ou un autre adverbe précèdent le mot qu'ils modifient:

> Il a acheté une **très** grande maison qui est **assez** moderne.
> Il travaille **trop** lentement, mais **relativement** bien.

NOTES

[1] L'adverbe **plus** ne modifie le verbe que lorsqu'il s'agit d'une comparaison. Dans les autres cas, on emploie l'adverbe **davantage**:

> J'aime **plus** le théâtre que le cinéma. — *comparison*
> Elle a de meilleures notes depuis qu'elle travaille **davantage**. — *not a comparison.*

DIFFICULTÉS DE TRADUCTION

1. Les expressions anglaises *more and more* et *less and less* se traduisent par **de plus en plus** et **de moins en moins**:

> *She is more and more beautiful.*
> Elle est **de plus en plus** belle.
> *This program becomes less and less interesting every day.*
> Chaque jour, ce programme devient **de moins en moins** intéressant.

C'est par les mêmes expressions que se traduisent les expressions anglaises du genre *later and later, prettier and prettier*, etc.: **de plus en plus** tard, **de plus en plus** joli(e), etc.

2. Quand l'adverbe **aussi** veut dire *also*, il n'exige pas l'inversion. Quand il veut dire *thus, as a result*, il l'exige. Comparez:

> J'aime les pièces de Corneille et celles de Racine **aussi**.   (*also*)
> Il connaît la France et **aussi** l'Espagne.   (*also*)
>
> Pierre adore la peinture, **aussi** va-t-il souvent au musée.   (*as a result*)
> Je suis fâché avec lui, **aussi** ne lui ai-je pas dit bonjour.   (*as a result*)

3. L'expression *from bad to worse* se traduit par **de mal en pis**.

---

47. Les adverbes de quantité

A. Les adverbes de quantité les plus communs sont:

assez	*enough*	plus	*more*
autant	*as many, as much*	tant	*so many, so much*
beaucoup	*many, a lot of*	tellement	*so many, so much*
combien	*how many, how much*	trop	*too many, too much*
davantage	*more*	aussi	*so*
guère	*hardly*	si	*so*
moins	*fewer, less*	presque	*almost*
peu	*few, little*	très	*very*
un peu	*a little*		

B. Les adverbes de quantité exigent la préposition **de** quand ils introduisent un nom. (Voir 26-E-2-*b*, p. 75):

> J'ai **beaucoup de** livres et pas **assez de** place.
> Il n'a **guère de** tact, mais il a **tant d'**intelligence!
> Voulez-vous **un peu de** sucre? **Combien de** morceaux?

C. Les expressions de quantité, c'est à dire les noms de quantité (**une foule, une douzaine**, etc.), les nombres (**deux, mille**, etc.) les adjectifs modifiés par un article partitif (**de beaux, d'intéressants**, etc.) ou les adverbes de quantité (**beaucoup, moins**, etc.) exigent le pronom partitif **en** quand elles sont attributs:

> Comme j'aime les pommes, j'**en** achèterai **une douzaine**.   (nom de quantité)
> Ces bonbons sont excellents, prenez-**en deux** ou **trois**.   (nombre)

J'adore les histoires marseillaises, **en** connaissez-vous **de nouvelles?**
(adjectif modifié par un article partitif)

Avez-vous de l'argent? Oui j'**en** ai **un peu,** mais je n'**en** ai pas **autant** que vous. (adverbe)

D. Particularités de certains adverbes de quantité:

1. Les adjectifs **quelque, même** et **tout** peuvent jouer le rôle d'adverbes. Ils sont alors invariables, sauf **tout** devant les adjectifs féminins commençant par une consonne ou une **h** aspirée:

> J'ai **quelque** trois cents livres dans ma bibliothèque.
> Pour réussir il faut travailler; il faut **même** travailler beaucoup.
> Elles étaient **tout** étonnées d'apprendre cette nouvelle.

Mais: Voici de **toutes** petites pommes.

2. Les adverbes **aussi** et **si** sont à peu près synonymes. On emploie **si** dans les phrases négatives:

> Je suis **aussi** courageux que lui, mais je ne suis pas **si** imprudent.

Tellement remplace **si** pour introduire un verbe:

> Il a **tellement** travaillé, il a **si** bien répondu qu'il a reçu le prix.

3. L'adverbe **bien** peut remplacer l'adverbe **très** pour modifier un adjectif ou un autre adverbe:

> Vous êtes **très (bien)** aimable et je vous suis **très (bien)** reconnaissant.
> Ecoute **très (bien)** attentivement et tu comprendras **très (bien)** vite.

Bien de + article défini peut remplacer **beaucoup de:**

> J'ai **beaucoup de (bien de la)** peine et **beaucoup de (bien du)** chagrin.
> Nous connaissons **beaucoup d' (bien des)** histoires marseillaises.

DIFFICULTÉS DE TRADUCTION

1. Contrairement à ce qui se passe en anglais, **beaucoup** ne peut pas être modifié par un autre adverbe de quantité:

> *Thank you **very much.***   *I have **very many** friends.*
> Merci **beaucoup.**   J'ai **beaucoup** d'amis.

2. Les adverbes de quantité **autant, beaucoup, combien, moins, peu, tant, tellement** et **trop** se traduisent différemment en anglais selon qu'il s'agisse d'une quantité ou d'un nombre :

> J'ai **autant** de courage que vous.
> *I have **as much** courage as you.*
>
> J'ai **autant** de livres que vous.
> *I have **as many** books as you.*
>
> J'ai **trop** de travail.
> *I have **too much** work.*
>
> J'ai **trop** de soucis.
> *I have **too many** worries.*

3. Remarquer les différentes traductions de ***most*** en français :

> *It is **most** interesting.* (*adverb*)
> C'est **très** intéressant.
>
> *He is **the most** interesting man I know.* (*adverb*)
> C'est l'homme **le plus** intéressant que je connaisse.
>
> ***Most** jewels are expensive.* (*adjective*)
> **La plupart** des bijoux sont chers.

4. Les adverbes de manière **comme**, et de quantité **combien** et **que** utilisés dans une exclamation correspondent à l'anglais ***how*** :

> **Comme** vous êtes belle!   *How beautiful you are!*
> **Combien** je vous aime!   *How I love you!*
> **Que** tu dois être heureux!   *How happy you must be!*

PARTIE B

48. La négation

A. Les négatifs adverbiaux:

    1. Le négatif adverbial **ne** . . . **pas**:

        a. Pour mettre un temps simple du verbe au négatif, on le fait précéder de l'adverbe **ne** et suivre de l'adverbe **pas**:

            Je suis fatigué.   Je **ne** suis **pas** fatigué.

        Un pronom complément d'objet qui précède le verbe négatif se place entre **ne** et le verbe:

            Vous **ne** lui parlez **pas**.
            Ne nous dérangez **pas**.

        Quand il y a inversion du verbe et du sujet, le pronom sujet se place entre le verbe et **pas**:

            Ne chantez-vous **pas**?
            Ne veut-elle **pas** venir avec nous?

        L'élision se produit entre **ne** et une voyelle ou une **h** muette:

            Je **n'**ai **pas** faim.
            Il **n'**hésite **pas**.

        b. Pour un temps composé, les remarques ci-dessus s'appliquent au verbe auxiliaire:

            Je **n'**ai **pas** été fatigué.
            Vous **ne** lui avez **pas** parlé.
            N'avez-vous **pas** chanté?

        c. Pour mettre un infinitif au négatif, on le fait précéder de **ne pas**:

            ne pas $\begin{cases} \text{travailler} \\ \text{sortir} \\ \text{vouloir} \end{cases}$

Dans le cas des verbes **avoir** et **être**, on peut aussi faire précéder l'infinitif par **ne** et le faire suivre par **pas**:

ne pas avoir faim   ou   n'avoir pas faim
ne pas être fatigué   ou   n'être pas fatigué

Quand **ne pas** précède l'infinitif, les pronoms compléments d'objet suivent **pas**:

Je vous demande de **ne pas** { nous regarder.
leur parler.
les lui donner.

d. Certains verbes peuvent omettre le **pas**. En particulier:

Savoir: Je ne saurais (pas) vous le dire.
Pouvoir: Nous regrettons de ne (pas) pouvoir accepter.
Cesser: Il ne cesse (pas) de pleuvoir.
Oser: Ils n'osaient (pas) entrer.

2. D'autres négatifs adverbiaux, **ne ... point** (plus fort que **ne ... pas** et plus littéraire), **ne ... guère**, **ne ... plus**, **ne ... jamais**, s'emploient de la même façon que **ne ... pas**:

Il n'a **point** de pitié.
Je **ne** suis **guère** fatigué.
Je n'ai **plus** faim.
Il n'a **jamais** hésité à exprimer son opinion.

3. Dans une proposition elliptique sans verbe, seule la deuxième partie du négatif adverbial est employée, puisque **ne** accompagne obligatoirement un verbe:

Vous êtes fatigué? **Pas** moi.[1]
Avez-vous faim? **Plus** maintenant.[1]
Etes-vous allé en France? **Jamais**.

B. Les conjonctions négatives:

1. La conjonction **ni** peut joindre deux propositions négatives. Le **pas** négatif est souvent omis dans la première proposition, et presque toujours dans la deuxième:

Je ne vous connais (pas) **ni** ne veux vous connaître.

Ni peut aussi joindre deux propositions subordonnées qui dépendent de la même proposition principale négative:

Il ne faut pas que vous lui parliez **ni** que vous lui écriviez.

Répétée, la conjonction **ni** précède les parties semblables d'une proposition (sujets, verbes, compléments d'objet). Dans ce cas, **pas** est toujours omis:

Ni lui, **ni** elle, **ni** vos amis ne savent l'anglais. (sujets)
Je ne veux **ni** manger, **ni** boire, **ni** dormir. (verbes)
Je ne connais **ni** Pierre **ni** sa sœur. (compléments d'objet)

On remarque que lorsque **ni** est employé, **ne** doit précéder le verbe.

Pour l'omission de l'article avec **ni** . . . **ni**, voir 27-C-4, p. 79.

2. La conjonction **ne** . . . **que**:

On classe souvent **ne** . . . **que** parmi les adverbes, car **ne** . . . **que** signifie **seulement, uniquement**.[2] **Ne** précède le verbe et **que** introduit le mot auquel s'applique la restriction:

Je **ne** mange **que** des légumes. (seulement des légumes)
Il **ne** pouvait **qu'**accepter ma proposition. (seulement accepter)
Il **ne** pouvait accepter **que** ma proposition. (seulement ma proposition)
Je **ne** connais, parmi toutes ces personnes, **que** Jacques. (seulement Jacques)

Ne . . . **que** peut introduire un pronom complément d'objet. Dans ce cas, le pronom sera tonique. (Voir 39-B-2, p. 119.)

C. Les pronoms négatifs:

Les pronoms négatifs **rien** et **personne**[3] peuvent être sujet ou complément d'objet. Il exigent que le verbe soit précédé par **ne**:

Rien ni **personne** ne me fera changer d'avis. (sujets)
Il **ne** veut **rien** comprendre ni écouter **personne**. (compléments d'objets)
Qui est-là? **Personne.** (proposition sans verbe)
Que désirez-vous? **Rien**, merci. (proposition sans verbe)

Dans le cas d'un temps composé, **rien** est placé entre l'auxiliaire et le participe passé, ou devant l'infinitif. **Personne** est placé après le participe passé ou après l'infinitif:

> Nous n'avons **rien** appris.
> Je vous conseille de **ne rien** dire.
> Nous n'avons rencontré **personne**.
> Il **ne** veut voir **personne**.

D. Les adjectifs négatifs:

Les adjectifs négatifs **aucun, aucune, nul, nulle**,[4] peuvent modifier le sujet ou le complément d'objet. Dans les deux cas, ils exigent que le verbe soit précédé par **ne**:

> **Aucune** machine **n'**est capable de penser.
> Je **ne** connais **nul** homme plus fort que lui.

On peut aussi dire:

> Il n'y a pas de machine qui soit capable de penser.
> Je ne connais personne qui soit plus fort que lui.

E. Combinaison de négatifs:

1. Employés ensemble, un négatif adverbial précède un pronom négatif:

> Nous n'avons **plus rien** dit.
> Il ne m'a **jamais rien** appris.
> Je ne l'ai **plus jamais** revu.

2. Les négatifs adverbiaux peuvent se combiner avec **ne** . . . **que**:

> Il n'y a **plus guère que** les érudits qui lisent le grec.

NOTES

[1] Dans une proposition elliptique sans verbe, on peut aussi employer les formes **non pas, non point, non guère, non plus**, plus énergiques:

Il est Parisien, **non pas** Marseillais.
Elle est aimable, **non point** obséquieuse.
J'aime le poulet mais **non guère** la dinde.
Cette année, nous étudions le grec et **non plus** le latin.

[2] On ne peut employer **ne** ... **que** pour modifier le sujet. Il faut dans ce cas employer l'adverbe **seulement** ou l'adjectif **seul** :

Je mange **seulement** des légumes.   (modifie le complément d'objet)
Je **ne** mange **que** des légumes.   (modifie le complément d'objet)
Seulement (seul) Jacques a mangé des légumes.   (modifie le sujet)

[3] Le pronom **personne** est masculin singulier :

Personne ici n'est français.

[4] Les adjectifs **aucun** et **nul** sont synonymes. **Nul** est généralement littéraire et peu employé dans la conversation.

DIFFICULTÉS DE TRADUCTION

1. **Jamais** est souvent mis en valeur au début de la phrase. Dans ce cas, **ne** précède encore le verbe, quoi qu'il n'y ait pas inversion du sujet et du verbe comme en anglais :

    Never have I seen such a spectacle.
    Jamais je n'ai vu un tel spectacle.

2. Il faut remarquer que **jamais** est aussi un adverbe traduit en anglais par *ever*. Dans ce sens, il n'est employé, en français comme en anglais, que dans une phrase qui a un verbe :

    Have you ever met Mrs. Dupont? No, never.
    Avez-vous **jamais** fait la connaissance de Mme Dupont? Non, jamais.

3. L'expression **ne faire que** + **infinitif** se traduit en anglais par *to* + *infinitive* + *all the time* ou par *to do nothing but* + *infinitive* :

    Ce bébé **ne fait que** pleurer.
    This baby cries all the time.

    Il **ne fait que** jouer toute la journée.
    He does nothing but play all day.

49. *Ne* explétif (ou pléonastique)

A. Le **ne** explétif s'emploie après les comparaisons d'inégalités:

> Les enfants comprennent **plus** souvent **qu'on** (**ne**) le pense.
> Cette table est **moins** chère **qu'elle** (**ne**) paraît.
> Ma note est **meilleure que** je (**ne**) l'espérais.
> La situation semblait **pire que** je (**ne**) craignais.

Si le verbe de la proposition principale est négatif, le **ne** explétif disparaît:

> Mes notes ne sont jamais **meilleures que** je l'espérais.
> La situation ne semblait pas **pire que** je craignais.

B. Le **ne** explétif apparaît souvent dans certaines phrases au subjonctif. En particulier:

1. Après les conjonctions **avant que**, **à moins que**, etc. (Voir 18-B, p. 43):

> Nous sortirons **avant qu'il ne** fasse nuit, **à moins que** vous **ne** préfériez rester à la maison.

2. Après les verbes ou les locutions qui expriment la crainte, et, par extension, l'empêchement (voir Note[1], p. 40). Le **ne** explétif disparaît au négatif:

> J'ai peur qu'il **ne** soit malade.
> Evitez que ce jeune homme **ne** vienne.

> Mais: Je ne crains pas qu'il soit malade.

3. Après les verbes **douter** et **nier** au négatif, le **ne** explétif est souvent employé:

> Je ne doute pas qu'il **ne** soit malade.
> On ne peut pas nier que Jacques **ne** soit intelligent.

QUATORZIÈME LEÇON

❧

50. Les prépositions

Les prépositions les plus importantes et qui présentent des difficultés pour l'étudiant de langue anglaise sont: **à, chez, dans, de, en, par** et **pour**.

A. La préposition **à**:

1. Quand **à** introduit le nom complément d'objet indirect, elle ne peut pas être omise, comme c'est souvent le cas en anglais (*to*):

> J'ai donné vingt francs à Jacques.

2. Avec les noms de villes, **à** indique le lieu ou la direction (*in, to, at*):

> Je n'ai jamais été à Paris, mais quand j'étais étudiant **à** Marseille j'allais souvent **à** Rome.

3. Avec les noms masculins de pays, **à** indique le lieu ou la direction (*in, to*). La présence de l'article défini est obligatoire:

> Je n'ai jamais été **au** Canada, mais quand j'étais étudiant **au** Mexique, j'allais souvent **aux** Etats-Unis.

(Voir E-2, p. 157.)

4. A sert à former des locutions adverbiales de lieu (*in, at*, etc.):

> Ce garçon est insupportable: à l'école il ne travaille pas, à la maison il désobéit à ses parents, passe son temps **au** cinéma et **au** café.

153

5. **A** suivi d'un nom ou d'un infinitif indique souvent l'usage auquel un objet est destiné. (Voir 22-D-2, p. 56):

Dans ce magasin vous pourrez acheter une brosse **à** dents, une lime **à** ongles, des cuillers **à** soupe et de la cire **à** cacheter.

6. **A** remplace souvent **avec** lorsqu'on veut indiquer que le deuxième nom est une partie distinctive du premier:

l'homme **à** barbe noire   les patins **à** roulettes
la dame **aux** camélias   les tartes **à** l'ananas
une fille **aux** yeux bleus   la peinture **à** l'huile
le bateau **à** vapeur

7. Dans le cas d'une proposition adverbiale de manière où il s'agit d'un moyen de locomotion qu'on enfourche (bête ou véhicule) on emploie **à**. (Comparer à E-3, p. 157):

à cheval   à dos d'âne
à bicyclette   à motocyclette

On dit aussi **à pied**:

Partirez-vous à pied ou à bicyclette?

8. Les verbes **être** et **appartenir**, suivis de **à** indiquent la possession:

Ce livre **est à** Pierre, il n'**appartient** pas **à** sa sœur.

9. Dans beaucoup de propositions adverbiales, où l'anglais emploie *in*, le français exige **à**:

à voix basse   **au** soleil   **à** la main
in a low voice   *in the sun*   *in the hand*

au temps de   **à** l'heure   **au** pas
in the time of   *in time*   *in step*

10. Quand un infinitif dépend d'un autre verbe, d'un nom ou d'un adjectif, il est souvent introduit par **à**. (Voir 22-C et 22-D, p. 55.)

B. La préposition **chez** signifie **dans la demeure de, dans le magasin de, dans le pays de, dans tel ou tel groupe ou milieu de la société**:

Il est venu habiter **chez** moi.

J'ai acheté du pain **chez** le boulanger.

Demain matin je dois aller **chez** le médecin, et le soir je vais **chez** des amis.

Chez les Italiens, on mange des macaronis.

Chez les catholiques, le divorce n'est pas permis.

Au figuré, **chez** veut dire dans la personne, dans l'œuvre:

> **Chez** vous le problème est différent.
> **Chez** Voltaire, l'ironie est mordante.

C. La préposition **dans**:

1. Dans indique le lieu; lorsqu'il s'agit d'un lieu bien délimité elle a souvent le sens de **à l'intérieur de**:

Il a mis les papiers **dans** une enveloppe, l'enveloppe **dans** sa serviette, sa serviette **dans** sa valise.

Le quinze juin, les premières troupes allemandes étaient déjà **dans** Paris.

Il s'est mis **dans** la tête d'entrer **dans** l'infanterie.

Dans notre pays, les enfants ne jouent pas **dans** les rues.

2. Dans indique le lieu lorsqu'il s'agit d'un nom de pays modifié (par un adjectif, une proposition relative, etc.):

> J'ai voyagé **dans** toute la France, ainsi que **dans** l'Italie du Nord.

Mais: J'ai voyagé **en** France et **en** Italie.

(Voir E-2, p. 157.)

3. Dans veut dire: **après** ou **à la fin de** lorsqu'il s'agit d'une indication de temps:

> Je reviendrai **dans** une heure.
> Ils auront fini **dans** quinze jours.

4. Avec le verbe **prendre, dans** se traduit par *out of*:

> Prenez vingt francs **dans** mon portefeuille.
> *Take twenty francs **out of** my wallet.*

D. La préposition **de**:

  1. De indique la possession. (Voir A-8, p. 154):

    La cravate **de** Pierre et le mouchoir **de** son frère sont neufs.

  2. Quand il s'agit d'une œuvre littéraire ou artistique, **de** introduit le nom ou la phrase qui identifie l'auteur:

    Ce tableau-ci est **de** Van Gogh et celui-là **d'**un peintre inconnu.
    Préférez-vous les sonnets **de** Baudelaire ou les poèmes **de** son ami Gautier?[1]

  3. Avec les verbes **venir, sortir, arriver, s'éloigner, partir**, etc. **de** introduit le lieu d'origine:[2]

    Il est arrivé **de** Paris, mais sa femme n'a pas voulu s'éloigner **de** la capitale.

  4. De introduit souvent la matière dont est fait un objet.[3] (Voir E-4, p. 157):

        une robe **de** soie
        le rideau **de** fer
        un soldat **de** plomb

    De même, **de** introduit souvent un nom qui qualifie un autre nom:

        une robe **de** chambre
        un officier **de** cavalerie
        une agence **de** voyage

  5. De peut indiquer un rapport de cause entre le verbe et le nom complément:

        Il a rougi **de** honte.
        Je meurs **de** faim.
        Les enfants criaient **de** joie.

  6. Dans une proposition adverbiale de manière, **de** introduit le nom modifié par un article indéfini:

    Il m'a regardé **d'**un air furieux, et m'a parlé **d'**une voix qui tremblait.

Cependant, lorsque le nom n'est pas modifié par un article indéfini on emploie **avec**:

> Il m'a regardé **avec** fureur et m'a parlé **avec** hésitation.

7. Quand **quelque chose, rien, quelqu'un** et **personne** sont modifiés par un adjectif, cet adjectif est introduit par **de**:

> Je voudrais manger quelque chose **de** bon.
> Il ne dit jamais rien **d'**intelligent.
> C'est quelqu'un **de** bien informé qui m'a dit cela.
> Dans cet accident, il n'y a eu personne **de** blessé.

8. Pour **de** introduisant le complément du superlatif, voir 31-E, p. 94.

E. La préposition **en**:

1. **En** ne s'emploie pas devant un article défini. (Voir 26-E-1, p. 75.)

2. **En** introduit le nom des pays féminins, pour indiquer le lieu ou la direction:

> Je passe généralement mes vacances **en** France, mais cette année je vais **en** Italie.

(Comparer à A-3, p. 153.)

3. **En** introduit le moyen de transport lorsqu'il s'agit d'un véhicule dans lequel on entre. (Comparer à A-7, p. 154):

> Préférez-vous voyager **en** train ou **en** autocar?

Cependant on dit:

> voyager **par** avion.

4. **En** introduit souvent la matière dont est fait un objet. (Voir D-4, p. 156):

> J'ai acheté un sac **en** cuir et une montre **en** or.[3]

5. Devant une expression de temps, **en** indique la durée nécessaire à l'accomplissement d'une action:

> L'avion a traversé l'Atlantique **en** six heures.

6. En introduit l'année, le mois, la saison qui indique quand a lieu une action:

Je suis né { **en** mars. / **en** automne. / **en** 1930.   Nous reviendrons { **en** aôut. / **en** été. / **en** hiver.

Cependant, on dit:

au printemps.

Je pars **en** vacances { **en** avril. / **au** printemps. / **en** 1932.

7. Pour **en** introduisant le participe présent, voir 23-C, p. 60.

F. La préposition **par**:

   1. La préposition **par** peut avoir le sens de **à travers**:

Puisqu'il n'a pas pu entrer **par** la porte, il est entré **par** la fenêtre.
Nous avons passé **par** Paris, **par** la Bourgogne et **par** la Suisse.

   2. Au sens figuré, **par** introduit le moyen ou l'agent:

Qui vit **par** l'épée, périra **par** l'épée.
C'est **par** mes amis que j'ai appris cette nouvelle.

   3. Par n'introduit un infinitif que dans les expressions idiomatiques **commencer par** et **finir par**:

Commencez par travailler, vous **finirez par** comprendre.
Start by working, eventually you will understand.

   4. Par introduit souvent l'agent dans une proposition au passif:

Il a été arrêté **par** la police.
Je suis préoccupé **par** ce problème.

G. La préposition **pour**:

   1. Pour, suivi d'une proposition infinitive, indique le but:

Il m'a demandé de l'argent **pour** s'acheter un livre.

   2. Pour veut aussi dire **à la place de**, **en échange de**:

Il ne faut pas traduire mot **pour** mot.
Pour tout salaire, j'ai reçu cent francs.

NOTES

[1] Comparer:

> **A** qui est ce livre (**à** qui appartient ce livre)?
> **De** qui est ce livre (qui est l'auteur de ce livre)?

[2] On remarquera que le verbe **quitter** introduit le lieu d'origine sans préposition.

> Il a **quitté** le salon.
> Ils ont dû **quitter** la France.

[3] L'usage détermine s'il faut employer **de** ou **en**. Les deux prépositions sont souvent possibles. **De** indique plutôt la sorte d'objet dont il s'agit; **en** met en valeur la matière dont l'objet est fait:

> un sac **de** cuir   *a leather bag*
> un sac **en** cuir   *a bag made of leather*

PARTIE B

51. Les nombres

A. Les nombres cardinaux (ou adjectifs numéraux cardinaux):

   1. **Un** a une forme féminine **une**:

     J'ai deux chemises et **une** cravate.
     Il y a quatorze garçons et vingt et **une** filles dans cette classe.

   2. Quand **vingt** et **cent** sont multipliés, ils ont une forme plurielle: quatre-vingt**s**, trois cent**s**.

   3. Cependant, lorsque **vingt** et **cent** sont suivis d'un autre nombre, ils restent au singulier: vingt-huit, quatre-vingt-sept, cent quatre, deux cent neuf.

   4. **Mille** n'est jamais pluriel: cinq mille, deux mille trois. Quand il s'agit d'une date, et que **mille** est suivi d'un ou de plusieurs autres nombres, on écrit de préférence **mil**:

     On crut que le monde finirait en l'an **mille**.
     Jeanne d'Arc fut canonisée en l'an de grâce **mil** neuf cent vingt.

     Cependant, pour les dates antérieures à l'ère chrétienne on garde généralement l'orthographe **mille**:

     Le pharaon Ramsès II mourut vers **mille** deux cent soixante cinq avant J.C.

   5. La conjonction **et** s'emploie dans les nombres 21, 31, 41, 51, 61, 71 (**vingt et un, trente et un**, . . . **soixante et onze**) mais pas dans les nombres 81, 91, 101 (**quatre-vingt un, quatre-vingt onze, cent un**).

   6. Les nombres cardinaux présentent certaines complications en ce qui concerne la prononciation. (Voir Note[1].)

B. Les nombres ordinaux (ou adjectifs numéraux ordinaux):

1. On forme la plupart des nombres ordinaux en ajoutant le suffixe **-ième** au nombre cardinal; si le nombre cardinal se termine en **e** muet, cet **e** muet disparaît:

septième	quatorzième	cinquante et unième
onzième	seizième	trois cent deuxième

2. Cependant:

a. Le nombre ordinal correspondant à **un, une** est **premier, première**; remarquer que l'on dit cependant **vingt et unième, trois cent unième**, etc.

b. Le nombre ordinal correspondant à **cinq** est **cinquième** (avec **u**).

c. Le nombre ordinal correspondant à **neuf** est **neuvième** (**f** devient **v**).

3. Il existe une forme **second, seconde** qui remplace généralement **deuxième** lorsqu'il s'agit d'une série limitée à deux unités:

La première fois, j'ai accepté; la **deuxième** fois aussi; mais la troisième fois j'ai refusé.

La première fois j'ai accepté, mais la **seconde** fois j'ai refusé.

C. Les nombres collectifs:

1. Les nombres collectifs se forment généralement en ajoutant le suffixe **-aine** au nombre cardinal; dans ce cas ils sont toujours au féminin. Si le nombre cardinal se termine en **e** muet, cet **e** muet disparaît lorsqu'on ajoute le suffixe **-aine**. Le **x** de **dix** devient un **z** devant le suffixe **-aine**. Les principaux nombres collectifs sont:

une huitaine	une cinquantaine
une dizaine	une soixantaine
une douzaine	une centaine
une quinzaine	**un** millier
une vingtaine	**un** million
une trentaine	**un** milliard ou **un** billion (1,000 *millions*)
une quarantaine	

2. Les nombres collectifs terminés en **-aine** (ainsi que le nombre collectif **un millier**) ont généralement un sens approximatif, et veulent dire: à peu près dix, trente, cent, etc. unités:[2]

Dans la foule, il y avait une **trentaine** de militaires en uniforme.
Je ne sais pas combien coûte ce veston; une **centaine** de francs, je crois.

3. Les nombres collectifs sont des expressions de quantité, comme les adverbes de quantité (voir 47, p. 144). Ils exigent donc l'article partitif **de** quand on les emploie devant un nom, et le pronom partitif **en** devant le verbe quand ils sont attributs:

Je désire une douzaine **de** pommes.
J'ai acheté trois douzaines **d'**œufs.
J'avais besoin de mouchoirs, et je m'**en** suis acheté une dizaine.

D. Les fractions.

1. Normalement, une fraction se compose d'un nombre cardinal comme numérateur et d'un nombre ordinal comme dénominateur:

$\frac{3}{8}$ trois huitièmes
$\frac{7}{16}$ sept seizièmes
$\frac{15}{31}$ quinze trente et unièmes

2. Cependant les fractions suivantes ont des noms spéciaux:

$\frac{1}{2}$	un demi	$5\frac{1}{2}$	cinq et demi
$\frac{1}{3}$	un tiers	$4\frac{1}{3}$	quatre (et) un tiers
$\frac{2}{3}$	deux tiers	$8\frac{1}{4}$	huit (et) un quart
$\frac{1}{4}$	un quart	etc.	
$\frac{3}{4}$	trois quarts		

3. Le nom qui correspond à la fraction $\frac{1}{2}$ est **la moitié**:

Je voudrais un demi-litre de vin.
Il y a trop de vin dans cette bouteille; je n'en boirai que **la moitié**.

4. Quand un nombre qui comprend la fraction **demi** est employé avec un nom, **et demi** ou **et demie** (selon le genre du nom) suivra le nom.

J'ai vingt deux ans **et demi**.

Nous avons rendez-vous à quatre heures **et demie**.

E. Les opérations arithmétiques:

1. Addition: on dit 7 **et** 8 **font** 15, 14 **et** 3 **font** 17.

2. Soustraction: on dit 9 **moins** 3 **font** 6, 21 **moins** 2 **font** 19.

3. Multiplication: on dit 4 **fois** 5 **font** 20, 3 **fois** 40 **font** 120.

4. Division: on dit 27 **divisé par** 3 **fait** 9, 8 **divisé par** 4 **fait** 2.

NOTES

[1]

2	deux	9	neuf	20	vingt
3	trois	10	dix	60	soixante
5	cinq	11	onze	77	soixante-dix-sept
6	six	17	dix-sept	78	soixante-dix-huit
7	sept	18	dix-huit	80	quatre-vingts
8	huit	19	dix-neuf	100	cent

a. Les règles normales de la liaison s'appliquent pour **x** et **s** qui deviennent [z]; **f** devient **v** dans deux expressions seulement: **neuf ans** [nœ vã] et **neuf heures** [nœ vœr].

b. Les consonnes finales se prononcent, sauf devant une autre consonne ou devant une **h** aspirée. Les règles de la liaison s'appliquent pour **six** et **dix**. Quand ces nombres sont isolés, on les prononce [sis] et [dis].

c. Il n'y a pas élision devant **huit** et **onze**:

Les numéros gagnants sont **le** huit et **le** onze.

d. Exceptionnellement le **x** de **dix** se prononce [s]: dix-sept [dissɛt].

e. L'**x** de **dix** se prononce [z]: dix-huit [di zyt], dix-neuf [diz nœf].

f. Le **t** de **vingt** se prononce de vingt et un à vingt-neuf, mais ne se prononce pas dans vingt, ni de quatre-vingts à quatre-vingt-dix-neuf.

g. Le **t** de **cent** ne se prononce pas devant **un, une, huit** ou **onze**. Autrement les règles de la liaison s'appliquent.

[2] Cependant le nombre collectif, **une douzaine**, est très souvent employé dans le commerce; dans ce cas, il indique douze unités:

Les tomates coûtent trois francs la **douzaine**.
Je voudrais une **douzaine** d'œufs et une **demi-douzaine** d'artichauds.

DIFFICULTÉS DE TRADUCTION

1. Le nombre ordinal qui, en anglais, forme partie des noms des souverains se traduit en français par un nombre cardinal, sauf quand il s'agit de *the first*, qui se traduit par **premier** dans le cas d'un roi et par **première** dans le cas d'une reine. On remarquera que les noms de souverains ne comportent pas d'article, contrairement à ce qui se passe généralement en anglais:

Louis I	Louis Ier
(*Louis the First*)	(Louis **Premier**)
Henry IV	Henri IV
(*Henry the Fourth*)	(Henri **Quatre**)
Charles XI	Charles XI
(*Charles the Eleventh*)	(Charles **Onze**)

2. Les nombres collectifs peuvent traduire l'expression *about ten, fifteen, twenty, etc., units*:

*I shall return in **about ten days**.*
Je reviendrai dans une **dizaine de jours**.

*This jacket costs **about forty dollars**.*
Ce veston coûte une **quarantaine de dollars**.

52. La date et l'heure

A. On peut exprimer l'année de deux façons:

> 1789: **dix-sept cent** quatre-vingt neuf, ou
> **mil sept cent** quatre-vingt neuf.
> 1960: **dix-neuf cent** soixante, ou
> **mil neuf cent** soixante.

B. Les noms des mois sont tous masculins, et ne prennent pas de majuscule:

> L'année[1] dernière, **novembre** a été très pluvieux.

C. Quand on écrit une date, l'ordre est: jour, mois, année. On emploie les numéros cardinaux pour indiquer le jour, sauf si le jour est le premier du mois. On fait généralement précéder la date de l'article **le**:

> le 4 janvier 1948   le 1er mai 1817

D. Les noms des jours de la semaine sont tous masculins, et ne prennent pas de majuscule:

> J'ai passé un **dimanche** très reposant.

Pour l'emploi de l'article avec les jours de la semaine, voir 26-D-2-*c*, p. 74.

E. Il y a trois façons d'exprimer la date lorsqu'on mentionne le nom du jour de la semaine:

> lundi 24 avril 1952
> le lundi 24 avril 1952
> lundi, le 24 avril 1952

F. En français officiel, les heures sont numérotées de 1 à 24. Ce système est assez répandu. On l'emploie pour les horaires de trains, d'autocars, etc., à la radio et à la télévision, dans les programmes des cinémas ou des théâtres, dans les invitations imprimées et même, bien que rarement, dans la conversation. Dans la langue de tous les jours on emploie plutôt la numération

165

de 1 à 12, et s'il faut éviter une ambiguïté possible, on ajoute, "du matin", "de l'après midi", "du soir", selon le cas:

LANGUE OFFICIELLE	LANGUE DE TOUS LES JOURS
23 heures 17	11 heures 17 du soir
3 heures 2	3 heures 2 du matin
14 heures 48	$\left\{\begin{array}{l}\text{2 heures 48}\\ \text{3 heures moins 12}\end{array}\right\}$ de l'après-midi
12 heures	midi
24 heures	minuit

G. Quand on ajoute un nombre de minutes à l'heure, on n'emploie pas la conjonction **et**:

quatre heures dix-sept

Quand on ajoute la fraction d'heure **demie**, l'emploi de la conjonction **et** est obligatoire:

trois heures **et** demie

Quand on ajoute la fraction d'heure **quart** on peut dire:

huit heures **et** quart, ou huit heures **un** quart

H. Quand on soustrait un nombre de minutes ou la fraction **quart**, il faut employer **moins**:

quatre heures **moins** cinq
midi **moins** le quart

NOTES

[1] Les formes féminines **année**, **journée**, **matinée**, **soirée** correspondent aux formes masculines **an**, **jour**, **matin**, **soir**. Dans certains cas, les formes masculines et les formes féminines sont interchangeables. Dans d'autres cas, l'usage a déterminé quelle forme doit être employée. D'une manière générale, on peut dire que:

Les formes masculines expriment l'unité de temps, les périodes indivisibles:

Tous les quatre **ans,** le mois de février a 29 jours.
La location de cette voiture me coûte 50 francs par **jour.**
Ils sont arrivés hier **matin.**
Tous les **soirs,** j'écoute les nouvelles à la radio.

Les formes féminines expriment plutôt la durée de temps, ou ce qui se passe pendant l'unité de temps:

Elle a été malade toute l'**année.**
Il a reçu vingt personnes pendant la **journée.**
Le facteur passe une fois dans la **matinée** et une fois dans la **soirée.**

DIFFICULTÉS DE TRADUCTION

1. Quand on exprime l'année en anglais, il est possible d'omettre le mot *hundred.* Cela n'est pas possible en français:

   > *I was born in nineteen (hundred and) twenty two.*
   > Je suis né en dix-neuf **cent** vingt-deux.

   La préposition **en** traduit la préposition anglaise *in* quand il s'agit d'années ou de mois:

   > *I was born in 1934.*
   > Je suis né **en** 1934.
   >
   > *My birthday is in July.*
   > Mon anniversaire est **en** juillet.

2. La préposition anglaise *on* ne se traduit pas quand on veut exprimer une date en français:

   > *She was born on May the twelfth.*
   > Elle est née le douze mai.
   >
   > *On December the fourth, I shall be 32.*
   > Le quatre décembre, j'aurai 32 ans.

3. Il est utile de connaître les expressions idiomatiques suivantes:

What is the date today?	Quel jour sommes-nous aujourd'hui?
	Quel jour est-ce aujourd'hui?
Today is the fifteenth.	Nous sommes le quinze (aujourd'hui).
	C'est aujourd'hui le quinze.

a week from today	d'aujourd'hui en huit
	dans huit jours
two weeks from today	d'aujourd'hui en quinze
	dans quinze jours
three weeks from today	dans trois semaines
next Friday	vendredi prochain
How old are you?	Quel âge avez-vous?
	Quel est votre âge?
I am forty-seven (years old)	J'ai quarante-sept ans.
What time is it?	Quelle heure est-il?
It is twelve thirty-five.	Il est midi trente cinq.

On remarquera que l'on peut dire **huit jours** pour **une semaine** et **quinze jours** pour **deux semaines**.

4. Comme en anglais, une **matinée** est une représentation de théâtre ou de cinéma qui a lieu l'après-midi, et une **soirée** est une fête ou une réception qui a lieu le soir.

APPENDICE NUMÉRO UN

A. Liste des principaux verbes qui sont suivis directement par l'infinitif complément:

aimer	faillir	rentrer
aimer mieux	falloir	retourner
aller	laisser	revenir
assurer	mener	savoir
avoir beau	mettre	sembler
compter	monter	sentir
courir	oser	souhaiter
croire	paraître	supposer
désirer	penser	se trouver
devoir	pouvoir	valoir mieux
dire	préférer	venir
écouter	prétendre	voir
entendre	se rappeler	voler
envoyer	reconnaître	vouloir
espérer	regarder	

B. Liste des principaux verbes qui introduisent l'infinitif complément par la préposition **à**:

aider à	demander à	se plaire à
aimer à	encourager à	pousser à
amener à	engager à	prendre plaisir à
s'amuser à	enseigner à	recommencer à
s'appliquer à	forcer à	renoncer à
apprendre à	habituer à	se résoudre à
arriver à	hésiter à	réussir à
aspirer à	s'intéresser à	servir à
s'attendre à	inviter à	songer à
avoir à	se mettre à	suffire à
chercher à	obliger à	tendre à
commencer à	parvenir à	tarder à
se consacrer à	passer (du temps) à	tenir à
condamner à	continuer à	travailler à
conduire à	décider à	venir à
consentir à	se décider à	

171

C. Liste des principaux verbes qui introduisent l'infinitif complément par la préposition **de**:

accepter de	empêcher de	s'occuper de
accuser de	entreprendre de	offrir de
achever de	essayer de	ordonner de
admirer de	s'étonner de	oublier de
s'apercevoir de	éviter de	parler de
s'arrêter de	s'excuser de	se passer de
s'aviser de	faire bien de	permettre de
avoir peur de	se fatiguer de	persuader de
blâmer de	féliciter de	plaindre de
cesser de	finir de	se plaindre de
charger de	forcer de	prier de
choisir de	se garder de	promettre de
commander de	gêner de	proposer de
conseiller de	se hâter de	punir de
se contenter de	s'impatienter de	refuser de
convaincre de	inspirer de	regretter de
convenir de	interdire de	remercier de
craindre de	jouir de	reprocher de
crier de	manquer de	résoudre de
décider de	menacer de	rire de
défendre de	mériter de	risquer de
demander de	se moquer de	sommer de
se dépêcher de	mourir de	souffrir de
dire de	négliger de	se souvenir de
se douter de	être obligé de	tâcher de
écrire de	obtenir de	venir de
s'efforcer de		

APPENDICE NUMÉRO DEUX

CONJUGAISON DES VERBES RÉGULIERS

Verbes en *-er*	**Verbes en *-ir***	**Verbes en *-re***

INFINITIF

porter	finir	attendre

PARTICIPE PRÉSENT

portant	finissant	attendant

PARTICIPE PASSÉ

porté	fini	attendu

PRÉSENT DE L'INDICATIF

je porte	je finis	j'attends
tu portes	tu finis	tu attends
il porte	il finit	il attend
nous portons	nous finissons	nous attendons
vous portez	vous finissez	vous attendez
ils portent	ils finissent	ils attendent

IMPÉRATIF

porte	finis	attends
portons	finissons	attendons
portez	finissez	attendez

IMPARFAIT DE L'INDICATIF

je portais	je finissais	j'attendais
tu portais	tu finissais	tu attendais
il portait	il finissait	il attendait
nous portions	nous finissions	nous attendions
vous portiez	vous finissiez	vous attendiez
ils portaient	ils finissaient	ils attendaient

FUTUR SIMPLE

je porterai	je finirai	j'attendrai
tu porteras	tu finiras	tu attendras
il portera	il finira	il attendra
nous porterons	nous finirons	nous attendrons
vous porterez	vous finirez	vous attendrez
ils porteront	ils finiront	ils attendront

CONDITIONNEL

je porterais	je finirais	j'attendrais
tu porterais	tu finirais	tu attendrais
il porterait	il finirait	il attendrait
nous porterions	nous finirions	nous attendrions
vous porteriez	vous finiriez	vous attendriez
ils porteraient	ils finiraient	ils attendraient

APPENDICE NUMÉRO DEUX

PASSÉ SIMPLE

je portai	je finis	j'attendis
tu portas	tu finis	tu attendis
il porta	il finit	il attendit
nous portâmes	nous finîmes	nous attendîmes
vous portâtes	vous finîtes	vous attendîtes
ils portèrent	ils finirent	ils attendirent

PRÉSENT DU SUBJONCTIF

(que) je porte	(que) je finisse	(que) j'attende
(que) tu portes	(que) tu finisses	(que) tu attendes
(qu') il porte	(qu') il finisse	(qu') il attende
(que) nous portions	(que) nous finissions	(que) nous attendions
(que) vous portiez	(que) vous finissiez	(que) vous attendiez
(qu') ils portent	(qu') ils finissent	(qu') ils attendent

IMPARFAIT DU SUBJONCTIF

(que) je portasse	(que) je finisse	(que) j'attendisse
(que) tu portasses	(que) tu finisses	(que) tu attendisses
(qu') il portât	(qu') il finît	(qu') il attendît
(que) nous portassions	(que) nous finissions	(que) nous attendissions
(que) vous portassiez	(que) vous finissiez	(que) vous attendissiez
(qu') ils portassent	(qu') ils finissent	(qu') ils attendissent

PASSÉ COMPOSÉ

j'ai porté, etc.	j'ai fini, etc.	j'ai attendu, etc.

PLUS-QUE-PARFAIT DE L'INDICATIF

j'avais porté, etc.	j'avais fini, etc.	j'avais attendu, etc.

PASSÉ ANTÉRIEUR

j'eus porté, etc.	j'eus fini, etc.	j'eus attendu, etc.

PASSÉ SURCOMPOSÉ

j'ai eu porté, etc.	j'ai eu fini, etc.	j'ai eu attendu, etc.

FUTUR ANTÉRIEUR

j'aurai porté, etc.	j'aurai fini, etc.	j'aurai attendu, etc.

PASSÉ DU CONDITIONNEL

j'aurais porté, etc.	j'aurais fini, etc.	j'aurais attendu, etc.

PASSÉ DU SUBJONCTIF

(que) j'aie porté, etc.	(que) j'aie fini, etc.	(que) j'aie attendu, etc.

PLUS-QUE-PARFAIT DU SUBJONCTIF

(que) j'eusse porté, etc.	(que) j'eusse fini, etc.	(que) j'eusse attendu, etc.

CONJUGAISON DU VERBE AUXILIAIRE *AVOIR*

INFINITIF: avoir
PARTICIPE PRÉSENT: ayant
PARTICIPE PASSÉ: eu

INDICATIF

PRÉSENT	IMPARFAIT	PASSÉ SIMPLE	FUTUR SIMPLE
ai	avais	eus	aurai
as	avais	eus	auras
a	avait	eut	aura
avons	avions	eûmes	aurons
avez	aviez	eûtes	aurez
ont	avaient	eurent	auront

PASSÉ COMPOSÉ	PLUS-QUE-PARFAIT	PASSÉ ANTÉRIEUR	FUTUR ANTÉRIEUR
ai eu	avais eu	eus eu	aurai eu
as eu	avais eu	eus eu	auras eu
a eu	avait eu	eut eu	aura eu
avons eu	avions eu	eûmes eu	aurons eu
avez eu	aviez eu	eûtes eu	aurez eu
ont eu	avaient eu	eurent eu	auront eu

CONDITIONNEL   IMPÉRATIF

PRÉSENT	PASSÉ	
aurais	aurais eu	aie
aurais	aurais eu	
aurait	aurait eu	ayons
aurions	aurions eu	ayez
auriez	auriez eu	
auraient	auraient eu	

SUBJONCTIF

PRÉSENT	IMPARFAIT	PASSÉ	PLUS-QUE-PARFAIT
aie	eusse	aie eu	eusse eu
aies	eusses	aies eu	eusses eu
ait	eût	ait eu	eût eu
ayons	eussions	ayons eu	eussions eu
ayez	eussiez	ayez eu	eussiez eu
aient	eussent	aient eu	eussent eu

CONJUGAISON DU VERBE AUXILIAIRE *ÊTRE*

INFINITIF:	être
PARTICIPE PRÉSENT:	étant
PARTICIPE PASSÉ:	été

INDICATIF

PRÉSENT	IMPARFAIT	PASSÉ SIMPLE	FUTUR SIMPLE
suis	étais	fus	serai
es	étais	fus	seras
est	était	fut	sera
sommes	étions	fûmes	serons
êtes	étiez	fûtes	serez
sont	étaient	furent	seront

PASSÉ COMPOSÉ	PLUS-QUE-PARFAIT	PASSÉ ANTÉRIEUR	FUTUR ANTÉRIEUR
ai été	avais été	eus été	aurai été
as été	avais été	eus été	auras été
a été	avait été	eut été	aura été
avons été	avions été	eûmes été	aurons été
avez été	aviez été	eûtes été	aurez été
ont été	avaient été	eurent été	auront été

CONDITIONNEL · IMPÉRATIF

PRÉSENT	PASSÉ	
serais	aurais été	sois
serais	aurais été	
serait	aurait été	
serions	aurions été	soyons
seriez	auriez été	soyez
seraient	auraient été	

SUBJONCTIF

PRÉSENT	IMPARFAIT	PASSÉ	PLUS-QUE-PARFAIT
sois	fusse	aie été	eusse été
sois	fusses	aies été	eusses été
soit	fût	ait été	eût été
soyons	fussions	ayons été	eussions été
soyez	fussiez	ayez été	eussiez été
soient	fussent	aient été	eussent été

CONJUGAISON DES VERBES IRRÉGULIERS*

Dans les tables de conjugaison des verbes irréguliers, le passé composé est indiqué, afin de signaler le verbe auxiliaire qu'exige le verbe. Les temps composés se forment comme suit:

INDICATIF

PASSÉ COMPOSÉ:	Présent
PLUS-QUE-PARFAIT:	Imparfait
PASSÉ ANTÉRIEUR:	Passé simple
PASSÉ SURCOMPOSÉ:	Passé composé
FUTUR ANTÉRIEUR:	Futur simple

⎫ du verbe auxiliaire + participe passé ⎭

PASSÉ DU CONDITIONNEL: présent du conditionnel du verbe auxiliaire + participe passé

SUBJONCTIF

PASSÉ: Présent du subjonctif ⎱ du verbe auxiliaire +
PLUS-QUE-PARFAIT: Imparfait du subjonctif ⎰ participe passé

---

* Je voudrais remercier mon collègue et ami Douglas W. Alden et son éditeur, Appleton-Century-Crofts, qui m'ont aimablement permis d'établir ma table de verbes irréguliers sur le modèle de celle qui se trouve dans le *Premier Manuel*, qu'ils ont publié en 1954.

INFINITIF ET PARTICIPES	INDICATIF			
	PRÉSENT	IMPARFAIT	PASSÉ SIMPLE	PASSÉ COMPOSÉ
Acquérir	acquiers	acquérais	acquis	ai acquis
(*to acquire*)	acquiers	acquérais	acquis	as acquis
acquérant	acquiert	acquérait	acquit	a acquis
acquis	acquérons	acquérions	acquîmes	avons acquis
	acquérez	acquériez	acquîtes	avez acquis
	acquièrent	acquéraient	acquirent	ont acquis
Aller	vais	allais	allai	suis allé(e)
(*to go*)	vas	allais	allas	es allé(e)
allant	va	allait	alla	est allé(e)
allé	allons	allions	allâmes	sommes allé(e)s
	allez	alliez	allâtes	êtes allé(e)(s)
	vont	allaient	allèrent	sont allé(e)s
Asseoir*	assieds	asseyais	assis	me suis assis(e)
(*to seat*)	assieds	asseyais	assis	t'es assis(e)
asseyant	assied	asseyait	assit	s'est assis(e)
assis	asseyons	asseyions	assîmes	nous sommes assis(es)
	asseyez	asseyiez	assîtes	vous êtes assis(e)(s)
	asseyent	asseyaient	assirent	se sont assis(es)
assoyant	assois	assoyais		
	assois	assoyais		
	assoit	assoyait		
	assoyons	assoyions		
	assoyez	assoyiez		
	assoient	assoyaient		
Battre	bats	battais	battis	ai battu
(*to beat*)	bats	battais	battis	as battu
battant	bat	battait	battit	a battu
battu	battons	battions	battîmes	avons battu
	battez	battiez	battîtes	avez battu
	battent	battaient	battirent	ont battu
Boire	bois	buvais	bus	ai bu
(*to drink*)	bois	buvais	bus	as bu
buvant	boit	buvait	but	a bu
bu	buvons	buvions	bûmes	avons bu
	buvez	buviez	bûtes	avez bu
	boivent	buvaient	burent	ont bu

* Le verbe *asseoir* a deux conjugaisons, sauf au passé simple, au passé composé et l'imparfait du subjonctif.

FUTUR SIMPLE	CONDITIONNEL PRÉSENT	IMPÉRATIF	SUBJONCTIF PRÉSENT	IMPARFAIT
acquerrai	acquerrais		acquière	acquisse
acquerras	acquerrais	acquiers	acquières	acquisses
acquerra	acquerrait		acquière	acquît
acquerrons	acquerrions	acquérons	acquérions	acquissions
acquerrez	acquerriez	acquérez	acquériez	acquissiez
acquerront	acquerraient		acquièrent	acquissent
irai	irais		aille	allasse
iras	irais	va	ailles	allasses
ira	irait		aille	allât
irons	irions	allons	allions	allassions
irez	iriez	allez	alliez	allassiez
iront	iraient		aillent	allassent
assiérai	assiérais		asseye	assisse
assiéras	assiérais	assieds-toi	asseyes	assisses
assiéra	assiérait		asseye	assît
assiérons	assiérions	asseyons-nous	asseyions	assissions
assiérez	assiériez	asseyez-vous	asseyiez	assissiez
assiéront	assiéraient		asseyent	assissent
assoirai	assoirais		assoie	
assoiras	assoirais	assois-toi	assoies	
assoira	assoirait		assoie	
assoirons	assoirions	assoyons-nous	assoyions	
assoirez	assoiriez	assoyez-vous	assoyiez	
assoiront	assoiraient		assoient	
battrai	battrais		batte	battisse
battras	battrais	bats	battes	battisses
battra	battrait		batte	battît
battrons	battrions	battons	battions	battissions
battrez	battriez	battez	battiez	battissiez
battront	battraient		battent	battissent
boirai	boirais		boive	busse
boiras	boirais	bois	boives	busses
boira	boirait		boive	bût
boirons	boirions	buvons	buvions	bussions
boirez	boiriez	buvez	buviez	bussiez
boiront	boiraient		boivent	bussent

181

INFINITIF ET PARTICIPES	INDICATIF			
	PRÉSENT	IMPARFAIT	PASSÉ SIMPLE	PASSÉ COMPOSÉ
Conclure	conclus	concluais	conclus	ai conclu
(*to conclude*)	conclus	concluais	conclus	as conclu
concluant	conclut	concluait	conclut	a conclu
conclu	concluons	concluions	conclûmes	avons conclu
	concluez	concluiez	conclûtes	avez conclu
	concluent	concluaient	conclurent	ont conclu
Conduire	conduis	conduisais	conduisis	ai conduit
(*to lead*)	conduis	conduisais	conduisis	as conduit
conduisant	conduit	conduisait	conduisit	a conduit
conduit	conduisons	conduisions	conduisîmes	avons conduit
	conduisez	conduisiez	conduisîtes	avez conduit
	conduisent	conduisaient	conduisirent	ont conduit
Connaître	connais	connaissais	connus	ai connu
(*to be*	connais	connaissais	connus	as connu
acquainted)	connaît	connaissait	connut	a connu
connaissant	connaissons	connaissions	connûmes	avons connu
connu	connaissez	connaissiez	connûtes	avez connu
	connaissent	connaissaient	connurent	ont connu
Coudre	couds	cousais	cousis	ai cousu
(*to sew*)	couds	cousais	cousis	as cousu
cousant	coud	cousait	cousit	a cousu
cousu	cousons	cousions	cousîmes	avons cousu
	cousez	cousiez	cousîtes	avez cousu
	cousent	cousaient	cousirent	ont cousu
Courir	cours	courais	courus	ai couru
(*to run*)	cours	courais	courus	as couru
courant	court	courait	courut	a couru
couru	courons	courions	courûmes	avons couru
	courez	couriez	courûtes	avez couru
	courent	couraient	coururent	ont couru
Craindre	crains	craignais	craignis	ai craint
(*to fear*)	crains	craignais	craignis	as craint
craignant	craint	craignait	craignit	a craint
craint	craignons	craignions	craignîmes	avons craint
	craignez	craigniez	craignîtes	avez craint
	craignent	craignaient	craignirent	ont craint

FUTUR SIMPLE	CONDITIONNEL PRÉSENT	IMPÉRATIF	SUBJONCTIF PRÉSENT	IMPARFAIT
onclurai	conclurais		conclue	conclusse
oncluras	conclurais	conclus	conclues	conclusses
onclura	conclurait		conclue	conclût
onclurons	conclurions	concluons	concluions	conclussions
onclurez	concluriez	concluez	concluiez	conclussiez
oncluront	concluraient		concluent	conclussent
onduirai	conduirais		conduise	conduisisse
onduiras	conduirais	conduis	conduises	conduisisses
onduira	conduirait		conduise	conduisît
onduirons	conduirions	conduisons	conduisions	conduisissions
onduirez	conduiriez	conduisez	conduisiez	conduisissiez
onduiront	conduiraient		conduisent	conduisissent
onnaîtrai	connaîtrais		connaisse	connusse
onnaîtras	connaîtrais	connais	connaisses	connusses
onnaîtra	connaîtrait		connaisse	connût
onnaîtrons	connaîtrions	connaissons	connaissions	connussions
onnaîtrez	connaîtriez	connaissez	connaissiez	connussiez
onnaîtront	connaîtraient		connaissent	connussent
oudrai	coudrais		couse	cousisse
oudras	coudrais	couds	couses	cousisses
oudra	coudrait		couse	cousît
oudrons	coudrions	cousons	cousions	cousissions
oudrez	coudriez	cousez	cousiez	cousissiez
oudront	coudraient		cousent	cousissent
ourrai	courrais		coure	courusse
ourras	courrais	cours	coures	courusses
ourra	courrait		coure	courût
ourrons	courrions	courons	courions	courussions
ourrez	courriez	courez	couriez	courussiez
ourront	courraient		courent	courussent
raindrai	craindrais		craigne	craignisse
raindras	craindrais	crains	craignes	craignisses
raindra	craindrait		craigne	craignît
raindrons	craindrions	craignons	craignions	craignissions
raindrez	craindriez	craignez	craigniez	craignissiez
raindront	craindraient		craignent	craignissent

183

INFINITIF ET PARTICIPES	INDICATIF			
	PRÉSENT	IMPARFAIT	PASSÉ SIMPLE	PASSÉ COMPOSÉ
Croire	crois	croyais	crus	ai cru
(*to believe*)	crois	croyais	crus	as cru
croyant	croit	croyait	crut	a cru
cru	croyons	croyions	crûmes	avons cru
	croyez	croyiez	crûtes	avez cru
	croient	croyaient	crurent	ont cru
Croître	croîs	croissais	crûs	ai crû
(*to grow*)	croîs	croissais	crût	as crû
croissant	croît	croissait	crût	a crû
crû, crue	croissons	croissions	crûmes	avons crû
	croissez	croissiez	crûtes	avez crû
	croissent	croissaient	crûrent	ont crû
Cueillir	cueille	cueillais	cueillis	ai cueilli
(*to pick*)	cueilles	cueillais	cueillis	as cueilli
cueillant	cueille	cueillait	cueillit	a cueilli
cueilli	cueillons	cueillions	cueillîmes	avons cueilli
	cueillez	cueilliez	cueillîtes	avez cueilli
	cueillent	cueillaient	cueillirent	ont cueilli
Devoir	dois	devais	dus	ai dû
(*to owe,*	dois	devais	dus	as dû
have to)	doit	devait	dut	a dû
devant	devons	devions	dûmes	avons dû
dû, due	devez	deviez	dûtes	avez dû
	doivent	devaient	durent	ont dû
Dire	dis	disais	dis	ai dit
(*to say, tell*)	dis	disais	dis	as dit
disant	dit	disait	dit	a dit
dit	disons	disions	dîmes	avons dit
	dites	disiez	dîtes	avez dit
	disent	disaient	dirent	ont dit
Ecrire	écris	écrivais	écrivis	ai écrit
(*to write*)	écris	écrivais	écrivis	as écrit
écrivant	écrit	écrivait	écrivit	a écrit
écrit	écrivons	écrivions	écrivîmes	avons écrit
	écrivez	écriviez	écrivîtes	avez écrit
	écrivent	écrivaient	écrivirent	ont écrit

FUTUR SIMPLE	CONDITIONNEL PRÉSENT	IMPÉRATIF	SUBJONCTIF PRÉSENT	IMPARFAIT
croirai	croirais		croie	crusse
croiras	croirais	crois	croies	crusses
croira	croirait		croie	crût
croirons	croirions	croyons	croyions	crussions
croirez	croiriez	croyez	croyiez	crussiez
croiront	croiraient		croient	crussent
croîtrai	croîtrais		croisse	crûsse
croîtras	croîtrais	croîs	croisses	crûsses
croîtra	croîtrait		croisse	crût
croîtrons	croîtrions	croissons	croissions	crûssions
croîtrez	croîtriez	croissez	croissiez	crûssiez
croîtront	croîtraient		croissent	crûssent
cueillerai	cueillerais		cueille	cueillisse
cueilleras	cueillerais	cueille	cueilles	cueillisses
cueillera	cueillerait		cueille	cueillît
cueillerons	cueillerions	cueillons	cueillions	cueillissions
cueillerez	cueilleriez	cueillez	cueilliez	cueillissiez
cueilleront	cueilleraient		cueillent	cueillissent
devrai	devrais		doive	dusse
devras	devrais	dois	doives	dusses
devra	devrait		doive	dût
devrons	devrions	devons	devions	dussions
devrez	devriez	devez	deviez	dussiez
devront	devraient		doivent	dussent
dirai	dirais		dise	disse
diras	dirais	dis	dises	disses
dira	dirait		dise	dît
dirons	dirions	disons	disions	dissions
direz	diriez	dites	disiez	dissiez
diront	diraient		disent	dissent
écrirai	écrirais		écrive	écrivisse
écriras	écrirais	écris	écrives	écrivisses
écrira	écrirait		écrive	écrivît
écrirons	écririons	écrivons	écrivions	écrivissions
écriez	écririez	écrivez	écriviez	écrivissiez
écriront	écriraient		écrivent	écrivissent

INFINITIF ET PARTICIPES	INDICATIF			
	PRÉSENT	IMPARFAIT	PASSÉ SIMPLE	PASSÉ COMPOSÉ
Envoyer (*to send*) envoyant envoyé	envoie envoies envoie envoyons envoyez envoient	envoyais envoyais envoyait envoyions envoyiez envoyaient	envoyai envoyas envoya envoyâmes envoyâtes envoyèrent	ai envoyé as envoyé a envoyé avons envoyé avez envoyé ont envoyé
Faire (*to do, make*) faisant fait	fais fais fait faisons faites font	faisais faisais faisait faisions faisiez faisaient	fis fis fit fîmes fîtes firent	ai fait as fait a fait avons fait avez fait ont fait
Falloir (*to be necessary*) fallu	il faut	il fallait	il fallut	il a fallu
Fuir (*to flee*) fuyant fui	fuis fuis fuit fuyons fuyez fuient	fuyais fuyais fuyait fuyions fuyiez fuyaient	fuis fuis fuit fuîmes fuîtes fuirent	ai fui as fui a fui avons fui avez fui ont fui
Haïr (*to hate*) haïssant haï	hais hais hait haïssons haïssez haïssent	haïssais haïssais haïssait haïssions haïssiez haïssaient	haïs haïs haït haïmes haïtes haïrent	ai haï as haï a haï avons haï avez haï ont haï
Lire (*to read*) lisant lu	lis lis lit lisons lisez lisent	lisais lisais lisait lisions lisiez lisaient	lus lus lut lûmes lûtes lurent	ai lu as lu a lu avons lu avez lu ont lu

JTUR SIMPLE	CONDITIONNEL PRÉSENT	IMPÉRATIF	SUBJONCTIF PRÉSENT	IMPARFAIT
ıverrai	enverrais		envoie	envoyasse
ıverras	enverrais	envoie	envoies	envoyasses
ıverra	enverrait		envoie	envoyât
ıverrons	enverrions	envoyons	envoyions	envoyassions
ıverrez	enverriez	envoyez	envoyiez	envoyassiez
ıverront	enverraient		envoient	envoyassent
rai	ferais		fasse	fisse
›ras	ferais	fais	fasses	fisses
ra	ferait		fasse	fît
rons	ferions	faisons	fassions	fissions
rez	feriez	faites	fassiez	fissiez
ront	feraient		fassent	fissent
faudra	il faudrait		il faille	il fallût
ıirai	fuirais		fuie	fuisse
ıiras	fuirais	fuis	fuies	fuisses
ıira	fuirait		fuie	fuît
ıirons	fuirions	fuyons	fuyions	fuissions
ıirez	fuiriez	fuyez	fuyiez	fuissiez
ıiront	fuiraient		fuient	fuissent
aïrai	haïrais		haïsse	haïsse
aïras	haïrais	hais	haïsses	haïsses
aïra	haïrait		haïsse	haït
aïrons	haïrions	haïssons	haïssions	haïssions
aïrez	haïriez	haïssez	haïssiez	haïssiez
aïront	haïraient		haïssent	haïssent
rai	lirais		lise	lusse
ras	lirais	lis	lises	lusses
ra	lirait		lise	lût
rons	lirions	lisons	lisions	lussions
rez	liriez	lisez	lisiez	lussiez
ront	liraient		lisent	lussent

INFINITIF ET PARTICIPES	INDICATIF			
	PRÉSENT	IMPARFAIT	PASSÉ SIMPLE	PASSÉ COMPOSÉ
Mettre	mets	mettais	mis	ai mis
(*to put*)	mets	mettais	mis	as mis
mettant	met	mettait	mit	a mis
mis	mettons	mettions	mîmes	avons mis
	mettez	mettiez	mîtes	avez mis
	mettent	mettaient	mirent	ont mis
Mourir	meurs	mourais	mourus	suis mort(e)
(*to die*)	meurs	mourais	mourus	es mort(e)
mourant	meurt	mourait	mourut	est mort(e)
mort	mourons	mourions	mourûmes	sommes mort(e)s
	mourez	mouriez	mourûtes	êtes mort(e)(s)
	meurent	mouraient	moururent	sont mort(e)s
Naître	nais	naissais	naquis	suis né(e)
(*to be born*)	nais	naissais	naquis	es né(e)
naissant	naît	naissait	naquit	est né(e)
né	naissons	naissions	naquîmes	sommes né(e)s
	naissez	naissiez	naquîtes	êtes né(e)(s)
	naissent	naissaient	naquirent	sont né(e)s
Ouvrir	ouvre	ouvrais	ouvris	ai ouvert
(*to open*)	ouvres	ouvrais	ouvris	as ouvert
ouvrant	ouvre	ouvrait	ouvrit	a ouvert
ouvert	ouvrons	ouvrions	ouvrîmes	avons ouvert
	ouvrez	ouvriez	ouvrîtes	avez ouvert
	ouvrent	ouvraient	ouvrirent	ont ouvert
Peindre	peins	peignais	peignis	ai peint
(*to paint*)	peins	peignais	peignis	as peint
peignant	peint	peignait	peignit	a peint
peint	peignons	peignions	peignîmes	avons peint
	peignez	peigniez	peignîtes	avez peint
	peignent	peignaient	peignirent	ont peint
Plaire	plais	plaisais	plus	ai plu
(*to please*)	plais	plaisais	plus	as plu
plaisant	plaît	plaisait	plut	a plu
plu	plaisons	plaisions	plûmes	avons plu
	plaisez	plaisiez	plûtes	avez plu
	plaisent	plaisaient	plurent	ont plu

'UTUR SIMPLE	CONDITIONNEL PRÉSENT	IMPÉRATIF	SUBJONCTIF PRÉSENT	IMPARFAIT
nettrai	mettrais		mette	misse
nettras	mettrais	mets	mettes	misses
nettra	mettrait		mette	mît
nettrons	mettrions	mettons	mettions	missions
nettrez	mettriez	mettez	mettiez	missiez
nettront	mettraient		mettent	missent
nourrai	mourrais		meure	mourusse
nourras	mourrais	meurs	meures	mourusses
nourra	mourrait		meure	mourût
nourrons	mourrions	mourons	mourions	mourussions
nourrez	mourriez	mourez	mouriez	mourussiez
nourront	mourraient		meurent	mourussent
naîtrai	naîtrais		naisse	naquisse
naîtras	naîtrais	nais	naisses	naquisses
naîtra	naîtrait		naisse	naquît
naîtrons	naîtrions	naissons	naissions	naquissions
naîtrez	naîtriez	naissez	naissiez	naquissiez
naîtront	naîtraient		naissent	naquissent
ouvrirai	ouvrirais		ouvre	ouvrisse
ouvriras	ouvrirais	ouvre	ouvres	ouvrisses
ouvrira	ouvrirait		ouvre	ouvrit
ouvrirons	ouvririons	ouvrons	ouvrions	ouvrissions
ouvrirez	ouvririez	ouvrez	ouvriez	ouvrissiez
ouvriront	ouvriraient		ouvrent	ouvrissent
peindrai	peindrais		peigne	peignisse
peindras	peindrais	peins	peignes	peignisses
peindra	peindrait		peigne	peignît
peindrons	peindrions	peignons	peignions	peignissions
peindrez	peindriez	peignez	peigniez	peignissiez
peindront	peindraient		peignent	peignissent
plairai	plairais		plaise	plusse
plairas	plairais	plais	plaises	plusses
plaira	plairait		plaise	plût
plairons	plairions	plaisons	plaisions	plussions
plairez	plairiez	plaisez	plaisiez	plussiez
plairont	plairaient		plaisent	plussent

INFINITIF ET PARTICIPES	INDICATIF			
	PRÉSENT	IMPARFAIT	PASSÉ SIMPLE	PASSÉ COMPOSÉ
Pleuvoir (*to rain*) pleuvant plu	il pleut	il pleuvait	il plut	il a plu
Pouvoir (*to be able*) pouvant pu	peux, puis peux peut pouvons pouvez peuvent	pouvais pouvais pouvait pouvions pouviez pouvaient	pus pus put pûmes pûtes purent	ai pu as pu a pu avons pu avez pu ont pu
Prendre (*to take*) prenant pris	prends prends prend prenons prenez prennent	prenais prenais prenait prenions preniez prenaient	pris pris prit prîmes prîtes prirent	ai pris as pris a pris avons pris avez pris ont pris
Recevoir (*to receive*) recevant reçu	reçois reçois reçoit recevons recevez reçoivent	recevais recevais recevait recevions receviez recevaient	reçus reçus reçut reçûmes reçûtes reçurent	ai reçu as reçu a reçu avons reçu avez reçu ont reçu
Résoudre (*to resolve, to solve*) résolvant résolu	résous résous résout résolvons résolvez résolvent	résolvais résolvais résolvait résolvions résolviez résolvaient	résolus résolus résolut résolûmes résolûtes résolurent	ai résolu as résolu a résolu avons résolu avez résolu ont résolu
Rire (*to laugh*) riant ri	ris ris rit rions riez rient	riais riais riait riions riiez riaient	ris ris rit rîmes rîtes rirent	ai ri as ri a ri avons ri avez ri ont ri

	CONDITIONNEL	IMPÉRATIF	SUBJONCTIF	
JTUR SIMPLE	PRÉSENT		PRÉSENT	IMPARFAIT
pleuvra	il pleuvrait		il pleuve	il plut
ourrai	pourrais		puisse	pusse
ourras	pourrais		puisses	pusses
ourra	pourrait		puisse	pût
ourrons	pourrions		puissions	pussions
ourrez	pourriez		puissiez	pussiez
ourront	pourraient		puissent	pussent
rendrai	prendrais		prenne	prisse
rendras	prendrais	prends	prennes	prisses
rendra	prendrait		prenne	prît
rendrons	prendrions	prenons	prenions	prissions
rendrez	prendriez	prenez	preniez	prissiez
rendront	prendraient		prennent	prissent
ecevrai	recevrais		reçoive	reçusse
ecevras	recevrais	reçois	reçoives	reçusses
ecevra	recevrait		reçoive	reçût
ecevrons	recevrions	recevons	recevions	reçussions
ecevrez	recevriez	recevez	receviez	reçussiez
ecevront	recevraient		reçoivent	reçussent
ésoudrai	résoudrais		résolve	résolusse
ésoudras	résoudrais	résous	résolves	résolusses
ésoudra	résoudrait		résolve	résolût
ésoudrons	résoudrions	résolvons	résolvions	résolussions
ésoudrez	résoudriez	résolvez	résolviez	résolussiez
ésoudront	résoudraient		résolvent	résolussent
rai	rirais		rie	risse
ras	rirais	ris	ries	risses
ra	rirait		rie	rît
rons	ririons	rions	riions	rissions
rez	ririez	riez	riiez	rissiez
ront	riraient		rient	rissent

191

INFINITIF ET PARTICIPES	INDICATIF			
	PRÉSENT	IMPARFAIT	PASSÉ SIMPLE	PASSÉ COMPOSÉ
Savoir	sais	savais	sus	ai su
(*to know*)	sais	savais	sus	as su
sachant	sait	savait	sut	a su
su	savons	savions	sûmes	avons su
	savez	saviez	sûtes	avez su
	savent	savaient	surent	ont su
Suffire	suffis	suffisais	suffis	ai suffi
(*to be*	suffis	suffisais	suffis	as suffi
sufficient)	suffit	suffisait	suffit	a suffi
suffisant	suffisons	suffisions	suffîmes	avons suffi
suffi	suffisez	suffisiez	suffîtes	avez suffi
	suffisent	suffisaient	suffirent	ont suffi
Suivre	suis	suivais	suivis	ai suivi
(*to follow*)	suis	suivais	suivis	as suivi
suivant	suit	suivait	suivit	a suivi
suivi	suivons	suivions	suivîmes	avons suivi
	suivez	suiviez	suivîtes	avez suivi
	suivent	suivaient	suivirent	ont suivi
Tenir	tiens	tenais	tins	ai tenu
(*to hold,*	tiens	tenais	tins	as tenu
keep)	tient	tenait	tint	a tenu
tenant	tenons	tenions	tînmes	avons tenu
tenu	tenez	teniez	tîntes	avez tenu
	tiennent	tenaient	tinrent	ont tenu
Vaincre	vaincs	vainquais	vainquis	ai vaincu
(*to conquer*)	vaincs	vainquais	vainquis	as vaincu
vainquant	vainc	vainquait	vainquit	a vaincu
vaincu	vainquons	vainquions	vainquîmes	avons vaincu
	vainquez	vainquiez	vainquîtes	avez vaincu
	vainquent	vainquaient	vainquirent	ont vaincu
Valoir	vaux	valais	valus	ai valu
(*to be*	vaux	valais	valus	as valu
worth)	vaut	valait	valut	a valu
valant	valons	valions	valûmes	avons valu
valu	valez	valiez	valûtes	avez valu
	valent	valaient	valurent	ont valu

UTUR SIMPLE	CONDITIONNEL PRÉSENT	IMPÉRATIF	SUBJONCTIF PRÉSENT	IMPARFAIT
aurai	saurais		sache	susse
auras	saurais	sache	saches	susses
aura	saurait		sache	sût
aurons	saurions	sachons	sachions	sussions
aurez	sauriez	sachez	sachiez	sussiez
auront	sauraient		sachent	sussent
uffirai	suffirais		suffise	suffisse
uffiras	suffirais	suffis	suffises	suffisses
uffira	suffirait		suffise	suffît
uffirons	suffirions	suffisons	suffisions	suffissions
uffirez	suffiriez	suffisez	suffisiez	suffissiez
uffiront	suffiraient		suffisent	suffissent
uivrai	suivrais		suive	suivisse
uivras	suivrais	suis	suives	suivisses
uivra	suivrait		suive	suivît
uivrons	suivrions	suivons	suivions	suivissions
uivrez	suivriez	suivez	suiviez	suivissiez
uivront	suivraient		suivent	suivissent
iendrai	tiendrais		tienne	tinsse
iendras	tiendrais	tiens	tiennes	tinsses
iendra	tiendrait		tienne	tînt
iendrons	tiendrions	tenons	tenions	tinssions
iendrez	tiendriez	tenez	teniez	tinssiez
iendront	tiendraient		tiennent	tinssent
aincrai	vaincrais		vainque	vainquisse
aincras	vaincrais	vaincs	vainques	vainquisses
aincra	vaincrait		vainque	vainquît
aincrons	vaincrions	vainquons	vainquions	vainquissions
aincrez	vaincriez	vainquez	vainquiez	vainquissiez
aincront	vaincraient		vainquent	vainquissent
audrai	vaudrais		vaille	valusse
audras	vaudrais	vaux	vailles	valusses
audra	vaudrait		vaille	valût
audrons	vaudrions	valons	valions	valussions
audrez	vaudriez	valez	valiez	valussiez
audront	vaudraient		vaillent	valussent

INFINITIF ET PARTICIPES	INDICATIF			
	PRÉSENT	IMPARFAIT	PASSÉ SIMPLE	PASSÉ COMPOSÉ
Venir	viens	venais	vins	suis venu(e)
(*to come*)	viens	venais	vins	es venu(e)
venant	vient	venait	vint	est venu(e)
venu	venons	venions	vînmes	sommes venu(e)s
	venez	veniez	vîntes	êtes venu(e)(s)
	viennent	venaient	vinrent	sont venu(e)s
Vêtir	vêts	vêtais	vêtis	ai vêtu
(*to dress*)	vêts	vêtais	vêtis	as vêtu
vêtant	vêt	vêtait	vêtit	a vêtu
vêtu	vêtons	vêtions	vêtîmes	avons vêtu
	vêtez	vêtiez	vêtîtes	avez vêtu
	vêtent	vêtaient	vêtirent	ont vêtu
Vivre	vis	vivais	vécus	ai vécu
(*to live*)	vis	vivais	vécus	as vécu
vivant	vit	vivait	vécut	a vécu
vécu	vivons	vivions	vécûmes	avons vécu
	vivez	viviez	vécûtes	avez vécu
	vivent	vivaient	vécurent	ont vécu
Voir	vois	voyais	vis	ai vu
(*to see*)	vois	voyais	vis	as vu
voyant	voit	voyait	vit	a vu
vu	voyons	voyions	vîmes	avons vu
	voyez	voyiez	vîtes	avez vu
	voient	voyaient	virent	ont vu
Vouloir	veux	voulais	voulus	ai voulu
(*to wish,*	veux	voulais	voulus	as voulu
want)	veut	voulait	voulut	a voulu
voulant	voulons	voulions	voulûmes	avons voulu
voulu	voulez	vouliez	voulûtes	avez voulu
	veulent	voulaient	voulurent	ont voulu

FUTUR SIMPLE	CONDITIONNEL PRÉSENT	IMPÉRATIF	SUBJONCTIF PRÉSENT	IMPARFAIT
viendrai	viendrais		vienne	vinsse
viendras	viendrais	viens	viennes	vinsses
viendra	viendrait		vienne	vînt
viendrons	viendrions	venons	venions	vinssions
viendrez	viendriez	venez	veniez	vinssiez
viendront	viendraient		viennent	vinssent
vêtirai	vêtirais		vête	vêtisse
vêtiras	vêtirais	vêts	vêtes	vêtisses
vêtira	vêtirait		vête	vêtît
vêtirons	vêtirions	vêtons	vêtions	vêtissions
vêtirez	vêtiriez	vêtez	vêtiez	vêtissiez
vêtiront	vêtiraient		vêtent	vêtissent
vivrai	vivrais		vive	vécusse
vivras	vivrais	vis	vives	vécusses
vivra	vivrait		vive	vécût
vivrons	vivrions	vivons	vivions	vécussions
vivrez	vivriez	vivez	viviez	vécussiez
vivront	vivraient		vivent	vécussent
verrai	verrais		voie	visse
verras	verrais	vois	voies	visses
verra	verrait		voie	vît
verrons	verrions	voyons	voyions	vissions
verrez	verriez	voyez	voyiez	vissiez
verront	verraient		voient	vissent
voudrai	voudrais		veuille	voulusse
voudras	voudrais	veuille	veuilles	voulusses
voudra	voudrait		veuille	voulût
voudrons	voudrions		voulions	voulussions
voudrez	voudriez	veuillez	vouliez	voulussiez
voudront	voudraient		veuillent	voulussent

INDEX

INDEX

N.B.: Les chiffres renvoient aux pages du manuel.